LES CLÉS
DU VERBE

LES CLÉS DU VERBE

second cycle du cours primaire

TRAVAUX PRATIQUES

MICHEL DAVID

Collection
Au cœur du verbe

guérin Montréal
Toronto

4501, rue Drolet
Montréal (Québec) H2T 2G2 Canada
Tél.: (514) 842-3481
Téléc.: (514) 842-4923

Dépôt légal, 2e trimestre 1992
ISBN-2-7601-2528-9

Bibliothèque nationale du Québec
Bibliothèque nationale du Canada

IMPRIMÉ AU CANADA

Révision linguistique: Louis Grégoire et Denise Sabourin
Maquette de la couverture: Josée Perreault

Présentation

Tout(e) professeur(e) qui enseigne le français à des écoliers* du second cycle du cours primaire sait à quel point l'apprentissage de l'écriture est difficile pour la majorité de ses élèves. Généralement, le développement des habiletés à communiquer oralement et à lire se fait sans trop de heurts et les progrès sont perceptibles d'un degré à l'autre. Mais il en va tout autrement pour le développement de l'habileté à écrire. On a beau multiplier les pratiques d'écriture et amener l'écolier à les objectiver, les acquisitions de connaissances qui devraient en découler subissent souvent une sorte de blocage au niveau de l'orthographe. L'apprenant(e) parvient habituellement à maîtriser ses intentions de communication, les caractérictiques du discours, les structures de ses phrases et même la ponctuation... mais pour ce qui est de la qualité orthographique de ses productions, cela semble souvent sans espoir! Pour l'enseignant(e), parler d'erreurs d'inattention paraît beaucoup plus un aveu d'impuissance que le premier pas vers une solution logique du problème. En toute objectivité, il faut tout de même admettre que les erreurs orthographiques semblent si nombreuses que, dans bien des cas, on ne sait par où commencer l'enseignement correctif.

C'est précisément à cet aspect de l'enseignement de l'écriture que LES CLÉS DU VERBE désire s'attaquer. Une analyse rapide des productions écrites de l'écolier prouve que près de 40 % des erreurs orthographiques proviennent du verbe. De toute évidence, il ne maîtrise pas suffisamment le verbe. Il ne l'accorde pas avec son sujet. Il ignore les terminaisons du verbe aux différentes personnes à certains temps et à certains modes usuels. Alors, pourquoi l'enseignant(e) ne concentrerait-il (elle) pas ses efforts de correction sur le verbe puisque ce dernier représente l'une des causes majeures de la faiblesse orthographique de l'écolier?

_____

* Les mots «écolier» et «élève» s'adressent aussi bien aux personnes de sexe féminin que masculin.

Évidemment, LES CLÉS DU VERBE ne résoudra pas tous les problèmes orthographiques de l'écolier. Il n'a pas la prétention d'apporter une solution miraculeuse. Son auteur propose simplement d'investir un peu de temps dans l'exploration d'une voie située à mi-chemin entre le dogmatisme (la théorie grammaticale) et le pragmatisme (les exercices avant tout) pour combler cette lacune dans la formation de l'élève. Tout en s'en tenant scrupuleusement aux connaissances suggérées dans le programme d'étude du ministère de l'Éducation, son auteur désire donner à l'écolier de 4e, 5e et 6e années la base théorique qui semble lui faire défaut et les pratiques qui devraient enfin le conduire à une maîtrise acceptable du verbe dans ses productions écrites. Il suggère un retour aux verbes témoins et à l'identification des groupes, des modes et des temps (simples et composés) du verbe. Il insiste sur l'importance des caractéristiques de chaque personne du verbe et sur les tableaux des conjugaisons. Ce n'est qu'après avoir travaillé sur ces bases fondamentales que l'écolier est invité à réfléchir sur certains cas d'accord, sur le participe passé employé seul et avec l'auxiliaire être et sur les homophonies. Enfin, l'auteur propose dans un dernier chapitre une vingtaine de mini-tests qui serviront à évaluer le degré de maîtrise de l'élève des différents aspects du verbe étudiés dans les chapitres précédents.

En conclusion, l'auteur de LES CLÉS DU VERBE ne conteste pas que la formule idéale pour enseigner à écrire consiste à s'appuyer sur les productions écrites de l'écolier pour enfin l'amener à acquérir des connaissances dans ce domaine moyennant une bonne objectivation. Il ne fait qu'offrir un outil complémentaire propre à faciliter cette objectivation en ce qui a trait au verbe. Il est persuadé que ce cahier d'activités donnera à l'usager de 4e, 5e et 6e années de solides connaissances sur le verbe – compte tenu de son degré – et par le fait même, concourra à améliorer la qualité orthographique de ses productions écrites.

Table des matières

Chapitre premier

Les verbes témoins

Les verbes témoins

Nous avons regroupé dans ce premier chapitre certains verbes auxquels l'élève aura besoin de faire référence tout au long des exercices proposés dans ce cahier. Nous les avons appelés **verbes témoins** parce qu'ils sont très utilisés et parce qu'ils peuvent servir de modèles à la conjugaison des verbes de leur groupe.

- Les auxiliaires: *avoir, être.*
- Les verbes du 1er groupe: *aimer, étudier* et *appuyer.*
- Le verbe du 2e groupe: *finir.*
- Les verbes du 3e groupe: *aller, devoir, pouvoir, recevoir, prendre, mettre, résoudre, paraître, sentir, croître, plaindre* et *faire.*

Les auxiliaires

AVOIR

INFINITIF		PARTICIPE	
Présent	*Passé*	*Présent*	*Passé*
avoir	avoir eu	ayant	eu, ayant eu

INDICATIF

Temps simples

Présent		*Imparfait*		*Passé simple*		*Futur simple*	
J'	ai	J'	avais	J'	eus	J'	aurai
Tu	as	Tu	avais	Tu	eus	Tu	auras
Il, elle	a	Il, elle	avait	Il, elle	eut	Il, elle	aura
Nous	avons	Nous	avions	Nous	eûmes	Nous	aurons
Vous	avez	Vous	aviez	Vous	eûtes	Vous	aurez
Ils, elles	ont	Ils, elles	avaient	Ils, elles	eurent	Ils, elles	auront

Temps composés

Passé composé		*Plus-que-parfait*		*Passé antérieur*		*Futur antérieur*	
J'	ai eu	J'	avais eu	J'	eus eu	J'	aurai eu
Tu	as eu	Tu	avais eu	Tu	eus eu	Tu	auras eu
Il, elle	a eu	Il, elle	avait eu	Il, elle	eut eu	Il, elle	aura eu
Nous	avons eu	Nous	avions eu	Nous	eûmes eu	Nous	aurons eu
Vous	avez eu	Vous	aviez eu	Vous	eûtes eu	Vous	aurez eu
Ils, elles	ont eu	Ils, elles	avaient eu	Ils, elles	eurent eu	Ils, elles	auront eu

CONDITIONNEL / IMPÉRATIF

CONDITIONNEL				**IMPÉRATIF**			
Temps simple		**Temps composé**		**Temps simple**		**Temps composé**	
Présent		*Passé*		*Présent*		*Passé*	
J'	aurais	J'	aurais eu	aie		aie eu	
Tu	aurais	Tu	aurais eu	ayons		ayons eu	
Il, elle	aurait	Il, elle	aurait eu	ayez		ayez eu	
Nous	aurions	Nous	aurions eu				
Vous	auriez	Vous	auriez eu				
Ils, elles	auraient	Ils, elles	auraient eu				

SUBJONCTIF

Temps simples				**Temps composés**			
Présent		*Imparfait*		*Passé*		*Plus-que-parfait*	
Que j'	aie	Que j'	eusse	Que j'	aie eu	Que j'	eusse eu
Que tu	aies	Que tu	eusses	Que tu	aies eu	Que tu	eusses eu
Qu'il, elle	ait	Qu'il, elle	eût	Qu'il, elle	ait eu	Qu'il, elle	eût eu
Que nous	ayons	Que nous	eussions	Que nous	ayons eu	Que nous	eussions eu
Que vous	ayez	Que vous	eussiez	Que vous	ayez eu	Que vous	eussiez eu
Qu'ils, elles	aient	Qu'ils, elles	eussent	Qu'ils, elles	aient eu	Qu'ils, elles	eussent eu

Les auxiliaires

ÊTRE

INFINITIF		PARTICIPE	
Présent	*Passé*	*Présent*	*Passé*
être	avoir été	étant	été, ayant été

INDICATIF

Temps simples

Présent	*Imparfait*	*Passé simple*	*Futur simple*
Je suis	J' étais	Je fus	Je serai
Tu es	Tu étais	Tu fus	Tu seras
Il, elle est	Il, elle était	Il, elle fut	Il, elle sera
Nous sommes	Nous étions	Nous fûmes	Nous serons
Vous êtes	Vous étiez	Vous fûtes	Vous serez
Ils, elles sont	Ils, elles étaient	Ils, elles furent	Ils, elles seront

Temps composés

Passé composé	*Plus-que-parfait*	*Passé antérieur*	*Futur antérieur*
J' ai été	J' avais été	J' eus été	J' aurai été
Tu as été	Tu avais été	Tu eus été	Tu auras été
Il, elle a été	Il, elle avait été	Il, elle eut été	Il, elle aura été
Nous avons été	Nous avions été	Nous eûmes été	Nous aurons été
Vous avez été	Vous aviez été	Vous eûtes été	Vous aurez été
Ils, elles ont été	Ils, elles avaient été	Ils, elles eurent été	Ils, elles auront été

CONDITIONNEL

Temps simple	**Temps composé**
Présent	*Passé*
Je serais	J' aurais été
Tu serais	Tu aurais été
Il, elle serait	Il, elle aurait été
Nous serions	Nous aurions été
Vous seriez	Vous auriez été
Ils, elles seraient	Ils, elles auraient été

IMPÉRATIF

Temps simple	**Temps composé**
Présent	*Passé*
sois	aie été
soyons	ayons été
soyez	ayez été

SUBJONCTIF

Temps simples

Présent	*Imparfait*
Que je sois	Que je fusse
Que tu sois	Que tu fusses
Qu'il, elle soit	Qu'il, elle fût
Que nous soyons	Que nous fussions
Que vous soyez	Que vous fussiez
Qu'ils, elles soient	Qu'ils, elles fussent

Temps composés

Passé	*Plus-que-parfait*
Que j' aie été	Que j' eusse été
Que tu aies été	Que tu eusses été
Qu'il, elle ait été	Qu'il, elle eût été
Que nous ayons été	Que nous eussions été
Que vous ayez été	Que vous eussiez été
Qu'ils, elles aient été	Qu'ils, elles eussent été

Les verbes du 1er groupe

AIMER (1er groupe)

INFINITIF		PARTICIPE	
Présent	*Passé*	*Présent*	*Passé*
aimer	avoir aimé	aimant	aimé, ayant aimé

INDICATIF

Temps simples

Présent		*Imparfait*		*Passé simple*		*Futur simple*	
J'	aime	J'	aimais	J'	aimai	J'	aimerai
Tu	aimes	Tu	aimais	Tu	aimas	Tu	aimeras
Il, elle	aime	Il, elle	aimait	Il, elle	aima	Il, elle	aimera
Nous	aimons	Nous	aimions	Nous	aimâmes	Nous	aimerons
Vous	aimez	Vous	aimiez	Vous	aimâtes	Vous	aimerez
Ils, elles	aiment	Ils, elles	aimaient	Ils, elles	aimèrent	Ils, elles	aimeront

Temps composés

Passé composé		*Plus-que-parfait*		*Passé antérieur*		*Futur antérieur*	
J'	ai aimé	J'	avais aimé	J'	eus aimé	J'	aurai aimé
Tu	as aimé	Tu	avais aimé	Tu	eus aimé	Tu	auras aimé
Il, elle	a aimé	Il, elle	avait aimé	Il, elle	eut aimé	Il, elle	aura aimé
Nous	avons aimé	Nous	avions aimé	Nous	eûmes aimé	Nous	aurons aimé
Vous	avez aimé	Vous	aviez aimé	Vous	eûtes aimé	Vous	aurez aimé
Ils, elles	ont aimé	Ils, elles	avaient aimé	Ils, elles	eurent aimé	Ils, elles	auront aimé

CONDITIONNEL

Temps simple		Temps composé	
Présent		*Passé*	
J'	aimerais	J'	aurais aimé
Tu	aimerais	Tu	aurais aimé
Il, elle	aimerait	Il, elle	aurait aimé
Nous	aimerions	Nous	aurions aimé
Vous	aimeriez	Vous	auriez aimé
Ils, elles	aimeraient	Ils, elles	auraient aimé

IMPÉRATIF

Temps simple	Temps composé
Présent	*Passé*
aime	aie aimé
aimons	ayons aimé
aimez	ayez aimé

SUBJONCTIF

Temps simples

Présent		*Imparfait*	
Que j'	aime	Que j'	aimasse
Que tu	aimes	Que tu	aimasses
Qu'il, elle	aime	Qu'il, elle	aimât
Que nous	aimions	Que nous	aimassions
Que vous	aimiez	Que vous	aimassiez
Qu'ils, elles	aiment	Qu'ils, elles	aimassent

Temps composés

Passé		*Plus-que-parfait*	
Que j'	aie aimé	Que j'	eusse aimé
Que tu	aies aimé	Que tu	eusses aimé
Qu'il, elle	ait aimé	Qu'il, elle	eût aimé
Que nous	ayons aimé	Que nous	eussions aimé
Que vous	ayez aimé	Que vous	eussiez aimé
Qu'ils, elles	aient aimé	Qu'ils, elles	eussent aimé

Les verbes du 1er groupe

ÉTUDIER (1er groupe)

INFINITIF		**PARTICIPE**	
Présent	*Passé*	*Présent*	*Passé*
étudier	avoir étudié	étudiant	étudié, ayant étudié

INDICATIF

Temps simples

Présent	*Imparfait*	*Passé simple*	*Futur simple*
J' étudie	J' étudiais	J' étudiai	J' étudierai
Tu étudies	Tu étudiais	Tu étudias	Tu étudieras
Il, elle étudie	Il, elle étudiait	Il, elle étudia	Il, elle étudiera
Nous étudions	Nous étudiions	Nous étudiâmes	Nous étudierons
Vous étudiez	Vous étudiiez	Vous étudiâtes	Vous étudierez
Ils, elles étudient	Ils, elles étudiaient	Ils, elles étudièrent	Ils, elles étudieront

Temps composés

Passé composé	*Plus-que-parfait*	*Passé antérieur*	*Futur antérieur*
J' ai étudié	J' avais étudié	J' eus étudié	J' aurai étudié
Tu as étudié	Tu avais étudié	Tu eus étudié	Tu auras étudié
Il, elle a étudié	Il, elle avait étudié	Il, elle eut étudié	Il, elle aura étudié
Nous avons étudié	Nous avions étudié	Nous eûmes étudié	Nous aurons étudié
Vous avez étudié	Vous aviez étudié	Vous eûtes étudié	Vous aurez étudié
Ils, elles ont étudié	Ils, elles avaient étudié	Ils, elles eurent étudié	Ils, elles auront étudié

CONDITIONNEL — IMPÉRATIF

Temps simple	**Temps composé**	**Temps simple**	**Temps composé**
Présent	*Passé*	*Présent*	*Passé*
J' étudierais	J' aurais étudié	étudie	aie étudié
Tu étudierais	Tu aurais étudié	étudions	ayons étudié
Il, elle étudierait	Il, elle aurait étudié	étudiez	ayez étudié
Nous étudierions	Nous aurions étudié		
Vous étudieriez	Vous auriez étudié		
Ils, elles étudieraient	Ils, elles auraient étudié		

SUBJONCTIF

Temps simples		**Temps composés**	
Présent	*Imparfait*	*Passé*	*Plus-que-parfait*
Que j' étudie	Que j' étudiasse	Que j' aie étudié	Que j' eusse étudié
Que tu étudies	Que tu étudiasses	Que tu aies étudié	Que tu eusses étudié
Qu'il, elle étudie	Qu'il, elle étudiât	Qu'il, elle ait étudié	Qu'il, elle eût étudié
Que nous étudiions	Que nous étudiassions	Que nous ayons étudié	Que nous eussions étudié
Que vous étudiiez	Que vous étudiassiez	Que vous ayez étudié	Que vous eussiez étudié
Qu'ils, elles étudient	Qu'ils, elles étudiassent	Qu'ils, elles aient étudié	Qu'ils, elles eussent étudié

Les verbes du 1er groupe

APPUYER (1er groupe)

INFINITIF

Présent	Passé
appuyer	avoir appuyé

PARTICIPE

Présent	Passé
appuyant	appuyé, ayant appuyé

INDICATIF

Temps simples

Présent	Imparfait	Passé simple	Futur simple
J' appuie	J' appuyais	J' appuyai	J' appuierai
Tu appuies	Tu appuyais	Tu appuyas	Tu appuieras
Il, elle appuie	Il, elle appuyait	Il, elle appuya	Il, elle appuiera
Nous appuyons	Nous appuyions	Nous appuyâmes	Nous appuierons
Vous appuyez	Vous appuyiez	Vous appuyâtes	Vous appuierez
Ils, elles appuient	Ils, elles appuyaient	Ils, elles appuyèrent	Ils, elles appuieront

Temps composés

Passé composé	Plus-que-parfait	Passé antérieur	Futur antérieur
J' ai appuyé	J' avais appuyé	J' eus appuyé	J' aurai appuyé
Tu as appuyé	Tu avais appuyé	Tu eus appuyé	Tu auras appuyé
Il, elle a appuyé	Il, elle avait appuyé	Il, elle eut appuyé	Il, elle aura appuyé
Nous avons appuyé	Nous avions appuyé	Nous eûmes appuyé	Nous aurons appuyé
Vous avez appuyé	Vous aviez appuyé	Vous eûtes appuyé	Vous aurez appuyé
Ils, elles ont appuyé	Ils, elles avaient appuyé	Ils, elles eurent appuyé	Ils, elles auront appuyé

CONDITIONNEL

Temps simple	Temps composé
Présent	**Passé**
J' appuierais	J' aurais appuyé
Tu appuierais	Tu aurais appuyé
Il, elle appuierait	Il, elle aurait appuyé
Nous appuierions	Nous aurions appuyé
Vous appuieriez	Vous auriez appuyé
Ils, elles appuieraient	Ils, elles auraient appuyé

IMPÉRATIF

Temps simple	Temps composé
Présent	**Passé**
appuie	aie appuyé
appuyons	ayons appuyé
appuyez	ayez appuyé

SUBJONCTIF

Temps simples

Présent	Imparfait
Que j' appuie	Que j' appuyasse
Que tu appuies	Que tu appuyasses
Qu'il, elle appuie	Qu'il, elle appuyât
Que nous appuyions	Que nous appuyassions
Que vous appuyiez	Que vous appuyassiez
Qu'ils, elles appuient	Qu'ils, elles appuyassent

Temps composés

Passé	Plus-que-parfait
Que j' aie appuyé	Que j' eusse appuyé
Que tu aies appuyé	Que tu eusses appuyé
Qu'il, elle ait appuyé	Qu'il, elle eût appuyé
Que nous ayons appuyé	Que nous eussions appuyé
Que vous ayez appuyé	Que vous eussiez appuyé
Qu'ils, elles aient appuyé	Qu'ils, elles eussent appuyé

Le verbe du 2e groupe

FINIR (2e groupe)

INFINITIF		PARTICIPE	
Présent	*Passé*	*Présent*	*Passé*
finir	avoir fini	finissant	fini, ayant fini

INDICATIF

Temps simples

Présent	*Imparfait*	*Passé simple*	*Futur simple*
Je finis	Je finissais	Je finis	Je finirai
Tu finis	Tu finissais	Tu finis	Tu finiras
Il, elle finit	Il, elle finissait	Il, elle finit	Il, elle finira
Nous finissons	Nous finissions	Nous finîmes	Nous finirons
Vous finissez	Vous finissiez	Vous finîtes	Vous finirez
Ils, elles finissent	Ils, elles finissaient	Ils, elles finirent	Ils, elles finiront

Temps composés

Passé composé	*Plus-que-parfait*	*Passé antérieur*	*Futur antérieur*
J' ai fini	J' avais fini	J' eus fini	J' aurai fini
Tu as fini	Tu avais fini	Tu eus fini	Tu auras fini
Il, elle a fini	Il, elle avait fini	Il, elle eut fini	Il, elle aura fini
Nous avons fini	Nous avions fini	Nous eûmes fini	Nous aurons fini
Vous avez fini	Vous aviez fini	Vous eûtes fini	Vous aurez fini
Ils, elles ont fini	Ils, elles avaient fini	Ils, elles eurent fini	Ils, elles auront fini

CONDITIONNEL

Temps simple	Temps composé
Présent	*Passé*
Je finirais	J' aurais fini
Tu finirais	Tu aurais fini
Il, elle finirait	Il, elle aurait fini
Nous finirions	Nous aurions fini
Vous finiriez	Vous auriez fini
Ils, elles finiraient	Ils, elles auraient fini

IMPÉRATIF

Temps simple	Temps composé
Présent	*Passé*
finis	aie fini
finissons	ayons fini
finissez	ayez fini

SUBJONCTIF

Temps simples

Présent	*Imparfait*
Que je finisse	Que je finisse
Que tu finisses	Que tu finisses
Qu'il, elle finisse	Qu'il, elle finît
Que nous finissions	Que nous finissions
Que vous finissiez	Que vous finissiez
Qu'ils, elles finissent	Qu'ils, elles finissent

Temps composés

Passé	*Plus-que-parfait*
Que j' aie fini	Que j' eusse fini
Que tu aies fini	Que tu eusses fini
Qu'il, elle ait fini	Qu'il, elle eût fini
Que nous ayons fini	Que nous eussions fini
Que vous ayez fini	Que vous eussiez fini
Qu'ils, elles aient fini	Qu'ils, elles eussent fini

Les verbes du 3e groupe

ALLER (3e groupe)

INFINITIF		PARTICIPE	
Présent	*Passé*	*Présent*	*Passé*
aller	être allé	allant	allé(e), étant allé(e)

INDICATIF

Temps simples

Présent		*Imparfait*		*Passé simple*		*Futur simple*	
Je	vais	J'	allais	J'	allai	J'	irai
Tu	vas	Tu	allais	Tu	allas	Tu	iras
Il, elle	va	Il, elle	allait	Il, elle	alla	Il, elle	ira
Nous	allons	Nous	allions	Nous	allâmes	Nous	irons
Vous	allez	Vous	alliez	Vous	allâtes	Vous	irez
Ils, elles	vont	Ils, elles	allaient	Ils, elles	allèrent	Ils, elles	iront

Temps composés

Passé composé		*Plus-que-parfait*		*Passé antérieur*		*Futur antérieur*	
Je	suis allé(e)	J'	étais allé(e)	Je	fus allé(e)	Je	serai allé(e)
Tu	es allé(e)	Tu	étais allé(e)	Tu	fus allé(e)	Tu	seras allé(e)
Il, elle	est allé(e)	Il, elle	était allé(e)	Il, elle	fut allé(e)	Il, elle	sera allé(e)
Nous	sommes allé(e)s	Nous	étions allé(e)s	Nous	fûmes allé(e)s	Nous	serons allé(e)s
Vous	êtes allé(e)s	Vous	étiez allé(e)s	Vous	fûtes allé(e)s	Vous	serez allé(e)s
Ils, elles	sont allé(e)s	Ils, elles	étaient allé(e)s	Ils, elles	furent allé(e)s	Ils, elles	seront allé(e)s

CONDITIONNEL / IMPÉRATIF

Temps simple		**Temps composé**		**Temps simple**		**Temps composé**	
Présent		*Passé*		*Présent*		*Passé*	
J'	irais	Je	serais allé(e)	va		sois allé(e)	
Tu	irais	Tu	serais allé(e)	allons		soyons allé(e)s	
Il, elle	irait	Il, elle	serait allé(e)	allez		soyez allé(e)s	
Nous	irions	Nous	serions allé(e)s				
Vous	iriez	Vous	seriez allé(e)s				
Ils, elles	iraient	Ils, elles	seraient allé(e)s				

SUBJONCTIF

Temps simples				**Temps composés**			
Présent		*Imparfait*		*Passé*		*Plus-que-parfait*	
Que j'	aille	Que j'	allasse	Que je	sois allé(e)	Que je	fusse allé(e)
Que tu	ailles	Que tu	allasses	Que tu	sois allé(e)	Que tu	fusses allé(e)
Qu'il, elle	aille	Qu'il, elle	allât	Qu'il, elle	soit allé(e)	Qu'il, elle	fût allé(e)
Que nous	allions	Que nous	allassions	Que nous	soyons allé(e)s	Que nous	fussions allé(e)s
Que vous	alliez	Que vous	allassiez	Que vous	soyez allé(e)s	Que vous	fussiez allé(e)s
Qu'ils, elles	aillent	Qu'ils, elles	allassent	Qu'ils, elles	soient allé(e)s	Qu'ils, elles	fussent allé(e)s

Les verbes du 3ᵉ groupe

DEVOIR (3ᵉ groupe)

INFINITIF | PARTICIPE

Présent	*Passé*	*Présent*	*Passé*
devoir	avoir dû	devant	dû, ayant dû

INDICATIF

Temps simples

Présent	*Imparfait*	*Passé simple*	*Futur simple*
Je dois	Je devais	Je dus	Je devrai
Tu dois	Tu devais	Tu dus	Tu devras
Il, elle doit	Il, elle devait	Il, elle dut	Il, elle devra
Nous devons	Nous devions	Nous dûmes	Nous devrons
Vous devez	Vous deviez	Vous dûtes	Vous devrez
Ils, elles doivent	Ils, elles devaient	Ils, elles durent	Ils, elles devront

Temps composés

Passé composé	*Plus-que-parfait*	*Passé antérieur*	*Futur antérieur*
J' ai dû	J' avais dû	J' eus dû	J' aurai dû
Tu as dû	Tu avais dû	Tu eus dû	Tu auras dû
Il, elle a dû	Il, elle avait dû	Il, elle eut dû	Il, elle aura dû
Nous avons dû	Nous avions dû	Nous eûmes dû	Nous aurons dû
Vous avez dû	Vous aviez dû	Vous eûtes dû	Vous aurez dû
Ils, elles ont dû	Ils, elles avaient dû	Ils, elles eurent dû	Ils, elles auront dû

CONDITIONNEL | IMPÉRATIF

Temps simple | Temps composé | Temps simple | Temps composé

Présent	*Passé*	*Présent*	*Passé*
Je devrais	J' aurais dû	dois	aie dû
Tu devrais	Tu aurais dû	devons	ayons dû
Il, elle devrait	Il, elle aurait dû	devez	ayez dû
Nous devrions	Nous aurions dû		
Vous devriez	Vous auriez dû		
Ils, elles devraient	Ils, elles auraient dû		

SUBJONCTIF

Temps simples | Temps composés

Présent	*Imparfait*	*Passé*	*Plus-que-parfait*
Que je doive	Que je dusse	Que j' aie dû	Que j' eusse dû
Que tu doives	Que tu dusses	Que tu aies dû	Que tu eusses dû
Qu'il, elle doive	Qu'il, elle dût	Qu'il, elle ait dû	Qu'il, elle eût dû
Que nous devions	Que nous dussions	Que nous ayons dû	Que nous eussions dû
Que vous deviez	Que vous dussiez	Que vous ayez dû	Que vous eussiez dû
Qu'ils, elles doivent	Qu'ils, elles dussent	Qu'ils, elles aient dû	Qu'ils, elles eussent dû

Les verbes du 3e groupe

POUVOIR (3e groupe)

INFINITIF		PARTICIPE	
Présent	*Passé*	*Présent*	*Passé*
pouvoir	avoir pu	pouvant	pu, ayant pu

INDICATIF

Temps simples

Présent		*Imparfait*		*Passé simple*		*Futur simple*	
Je	peux	Je	pouvais	Je	pus	Je	pourrai
Tu	peux	Tu	pouvais	Tu	pus	Tu	pourras
Il, elle	peut	Il, elle	pouvait	Il, elle	put	Il, elle	pourra
Nous	pouvons	Nous	pouvions	Nous	pûmes	Nous	pourrons
Vous	pouvez	Vous	pouviez	Vous	pûtes	Vous	pourrez
Ils, elles	peuvent	Ils, elles	pouvaient	Ils, elles	purent	Ils, elles	pourront

Temps composés

Passé composé		*Plus-que-parfait*		*Passé antérieur*		*Futur antérieur*	
J'	ai pu	J'	avais pu	J'	eus pu	J'	aurai pu
Tu	as pu	Tu	avais pu	Tu	eus pu	Tu	auras pu
Il, elle	a pu	Il, elle	avait pu	Il, elle	eut pu	Il, elle	aura pu
Nous	avons pu	Nous	avions pu	Nous	eûmes pu	Nous	aurons pu
Vous	avez pu	Vous	aviez pu	Vous	eûtes pu	Vous	aurez pu
Ils, elles	ont pu	Ils, elles	avaient pu	Ils, elles	eurent pu	Ils, elles	auront pu

CONDITIONNEL				IMPÉRATIF			
Temps simple		**Temps composé**		**Temps simple**		**Temps composé**	
Présent		*Passé*		*Présent*		*Passé*	
Je	pourrais	J'	aurais pu	pas d'impératif		pas d'impératif	
Tu	pourrais	Tu	aurais pu				
Il, elle	pourrait	Il, elle	aurait pu				
Nous	pourrions	Nous	aurions pu				
Vous	pourriez	Vous	auriez pu				
Ils, elles	pourraient	Ils, elles	auraient pu				

SUBJONCTIF

Temps simples				Temps composés			
Présent		*Imparfait*		*Passé*		*Plus-que-parfait*	
Que je	puisse	Que je	pusse	Que j'	aie pu	Que j'	eusse pu
Que tu	puisses	Que tu	pusses	Que tu	aies pu	Que tu	eusses pu
Qu'il, elle	puisse	Qu'il, elle	pût	Qu'il, elle	ait pu	Qu'il, elle	eût pu
Que nous	puissions	Que nous	pussions	Que nous	ayons pu	Que nous	eussions pu
Que vous	puissiez	Que vous	pussiez	Que vous	ayez pu	Que vous	eussiez pu
Qu'ils, elles	puissent	Qu'ils, elles	pussent	Qu'ils, elles	aient pu	Qu'ils, elles	eussent pu

Les verbes du 3ᵉ groupe

RECEVOIR (3ᵉ groupe)

INFINITIF / PARTICIPE

INFINITIF		PARTICIPE	
Présent	*Passé*	*Présent*	*Passé*
recevoir	avoir reçu	recevant	reçu, ayant reçu

INDICATIF

Temps simples

Présent	*Imparfait*	*Passé simple*	*Futur simple*
Je reçois	Je recevais	Je reçus	Je recevrai
Tu reçois	Tu recevais	Tu reçus	Tu recevras
Il, elle reçoit	Il, elle recevait	Il, elle reçut	Il, elle recevra
Nous recevons	Nous recevions	Nous reçûmes	Nous recevrons
Vous recevez	Vous receviez	Vous reçûtes	Vous recevrez
Ils, elles reçoivent	Ils, elles recevaient	Ils, elles reçurent	Ils, elles recevront

Temps composés

Passé composé	*Plus-que-parfait*	*Passé antérieur*	*Futur antérieur*
J' ai reçu	J' avais reçu	J' eus reçu	J' aurai reçu
Tu as reçu	Tu avais reçu	Tu eus reçu	Tu auras reçu
Il, elle a reçu	Il, elle avait reçu	Il, elle eut reçu	Il, elle aura reçu
Nous avons reçu	Nous avions reçu	Nous eûmes reçu	Nous aurons reçu
Vous avez reçu	Vous aviez reçu	Vous eûtes reçu	Vous aurez reçu
Ils, elles ont reçu	Ils, elles avaient reçu	Ils, elles eurent reçu	Ils, elles auront reçu

CONDITIONNEL / IMPÉRATIF

CONDITIONNEL		IMPÉRATIF	
Temps simple	**Temps composé**	**Temps simple**	**Temps composé**
Présent	*Passé*	*Présent*	*Passé*
Je recevrais	J' aurais reçu	reçois	aie reçu
Tu recevrais	Tu aurais reçu	recevons	ayons reçu
Il, elle recevrait	Il, elle aurait reçu	recevez	ayez reçu
Nous recevrions	Nous aurions reçu		
Vous recevriez	Vous auriez reçu		
Ils, elles recevraient	Ils, elles auraient reçu		

SUBJONCTIF

Temps simples		Temps composés	
Présent	*Imparfait*	*Passé*	*Plus-que-parfait*
Que je reçoive	Que je reçusse	Que j' aie reçu	Que j' eusse reçu
Que tu reçoives	Que tu reçusses	Que tu aies reçu	Que tu eusses reçu
Qu'il, elle reçoive	Qu'il, elle reçût	Qu'il, elle ait reçu	Qu'il, elle eût reçu
Que nous recevions	Que nous reçussions	Que nous ayons reçu	Que nous eussions reçu
Que vous receviez	Que vous reçussiez	Que vous ayez reçu	Que vous eussiez reçu
Qu'ils, elles reçoivent	Qu'ils, elles reçussent	Qu'ils, elles aient reçu	Qu'ils, elles eussent reçu

Les verbes du 3e groupe

PRENDRE (3e groupe)

INFINITIF		PARTICIPE	
Présent	*Passé*	*Présent*	*Passé*
prendre	avoir pris	prenant	pris, ayant pris

INDICATIF

Temps simples

Présent	*Imparfait*	*Passé simple*	*Futur simple*
Je prends	Je prenais	Je pris	Je prendrai
Tu prends	Tu prenais	Tu pris	Tu prendras
Il, elle prend	Il, elle prenait	Il, elle prit	Il, elle prendra
Nous prenons	Nous prenions	Nous prîmes	Nous prendrons
Vous prenez	Vous preniez	Vous prîtes	Vous prendrez
Ils, elles prennent	Ils, elles prenaient	Ils, elles prirent	Ils, elles prendront

Temps composés

Passé composé	*Plus-que-parfait*	*Passé antérieur*	*Futur antérieur*
J' ai pris	J' avais pris	J' eus pris	J' aurai pris
Tu as pris	Tu avais pris	Tu eus pris	Tu auras pris
Il, elle a pris	Il, elle avait pris	Il, elle eut pris	Il, elle aura pris
Nous avons pris	Nous avions pris	Nous eûmes pris	Nous aurons pris
Vous avez pris	Vous aviez pris	Vous eûtes pris	Vous aurez pris
Ils, elles ont pris	Ils, elles avaient pris	Ils, elles eurent pris	Ils, elles auront pris

CONDITIONNEL

Temps simple	Temps composé
Présent	*Passé*
Je prendrais	J' aurais pris
Tu prendrais	Tu aurais pris
Il, elle prendrait	Il, elle aurait pris
Nous prendrions	Nous aurions pris
Vous prendriez	Vous auriez pris
Ils, elles prendraient	Ils, elles auraient pris

IMPÉRATIF

Temps simple	Temps composé
Présent	*Passé*
prends	aie pris
prenons	ayons pris
prenez	ayez pris

SUBJONCTIF

Temps simples

Présent	*Imparfait*
Que je prenne	Que je prisse
Que tu prennes	Que tu prisses
Qu'il, elle prenne	Qu'il, elle prît
Que nous prenions	Que nous prissions
Que vous preniez	Que vous prissiez
Qu'ils, elles prennent	Qu'ils, elles prissent

Temps composés

Passé	*Plus-que-parfait*
Que j' aie pris	Que j' eusse pris
Que tu aies pris	Que tu eusses pris
Qu'il, elle ait pris	Qu'il, elle eût pris
Que nous ayons pris	Que nous eussions pris
Que vous ayez pris	Que vous eussiez pris
Qu'ils, elles aient pris	Qu'ils, elles eussent pris

Les verbes du 3e groupe

METTRE (3e groupe)

INFINITIF		PARTICIPE	
Présent	*Passé*	*Présent*	*Passé*
mettre	avoir mis	mettant	mis, ayant mis

INDICATIF

Temps simples

Présent		*Imparfait*		*Passé simple*		*Futur simple*	
Je	mets	Je	mettais	Je	mis	Je	mettrai
Tu	mets	Tu	mettais	Tu	mis	Tu	mettras
Il, elle	met	Il, elle	mettait	Il, elle	mit	Il, elle	mettra
Nous	mettons	Nous	mettions	Nous	mîmes	Nous	mettrons
Vous	mettez	Vous	mettiez	Vous	mîtes	Vous	mettrez
Ils, elles	mettent	Ils, elles	mettaient	Ils, elles	mirent	Ils, elles	mettront

Temps composés

Passé composé		*Plus-que-parfait*		*Passé antérieur*		*Futur antérieur*	
J'	ai mis	J'	avais mis	J'	eus mis	J'	aurai mis
Tu	as mis	Tu	avais mis	Tu	eus mis	Tu	auras mis
Il, elle	a mis	Il, elle	avait mis	Il, elle	eut mis	Il, elle	aura mis
Nous	avons mis	Nous	avions mis	Nous	eûmes mis	Nous	aurons mis
Vous	avez mis	Vous	aviez mis	Vous	eûtes mis	Vous	aurez mis
Ils, elles	ont mis	Ils, elles	avaient mis	Ils, elles	eurent mis	Ils, elles	auront mis

CONDITIONNEL				IMPÉRATIF			
Temps simple		**Temps composé**		**Temps simple**		**Temps composé**	
Présent		*Passé*		*Présent*		*Passé*	
Je	mettrais	J'	aurais mis	mets		aie mis	
Tu	mettrais	Tu	aurais mis	mettons		ayons mis	
Il, elle	mettrait	Il, elle	aurait mis	mettez		ayez mis	
Nous	mettrions	Nous	aurions mis				
Vous	mettriez	Vous	auriez mis				
Ils, elles	mettraient	Ils, elles	auraient mis				

SUBJONCTIF

Temps simples				**Temps composés**			
Présent		*Imparfait*		*Passé*		*Plus-que-parfait*	
Que je	mette	Que je	misse	Que j'	aie mis	Que j'	eusse mis
Que tu	mettes	Que tu	misses	Que tu	aies mis	Que tu	eusses mis
Qu'il, elle	mette	Qu'il, elle	mît	Qu'il, elle	ait mis	Qu'il, elle	eût mis
Que nous	mettions	Que nous	missions	Que nous	ayons mis	Que nous	eussions mis
Que vous	mettiez	Que vous	missiez	Que vous	ayez mis	Que vous	eussiez mis
Qu'ils, elles	mettent	Qu'ils, elles	missent	Qu'ils, elles	aient mis	Qu'ils, elles	eussent mis

Les verbes du 3e groupe

RÉSOUDRE (3e groupe)

INFINITIF		PARTICIPE	
Présent	*Passé*	*Présent*	*Passé*
résoudre	avoir résolu	résolvant	résolu, ayant résolu

INDICATIF

Temps simples

Présent		*Imparfait*		*Passé simple*		*Futur simple*	
Je	résous	Je	résolvais	Je	résolus	Je	résoudrai
Tu	résous	Tu	résolvais	Tu	résolus	Tu	résoudras
Il, elle	résout	Il, elle	résolvait	Il, elle	résolut	Il, elle	résoudra
Nous	résolvons	Nous	résolvions	Nous	résolûmes	Nous	résoudrons
Vous	résolvez	Vous	résolviez	Vous	résolûtes	Vous	résoudrez
Ils, elles	résolvent	Ils, elles	résolvaient	Ils, elles	résolurent	Ils, elles	résoudront

Temps composés

Passé composé		*Plus-que-parfait*		*Passé antérieur*		*Futur antérieur*	
J'	ai résolu	J'	avais résolu	J'	eus résolu	J'	aurai résolu
Tu	as résolu	Tu	avais résolu	Tu	eus résolu	Tu	auras résolu
Il, elle	a résolu	Il, elle	avait résolu	Il, elle	eut résolu	Il, elle	aura résolu
Nous	avons résolu	Nous	avions résolu	Nous	eûmes résolu	Nous	aurons résolu
Vous	avez résolu	Vous	aviez résolu	Vous	eûtes résolu	Vous	aurez résolu
Ils, elles	ont résolu	Ils, elles	avaient résolu	Ils, elles	eurent résolu	Ils, elles	auront résolu

CONDITIONNEL

Temps simple		**Temps composé**	
Présent		*Passé*	
Je	résoudrais	J'	aurais résolu
Tu	résoudrais	Tu	aurais résolu
Il, elle	résoudrait	Il, elle	aurait résolu
Nous	résoudrions	Nous	aurions résolu
Vous	résoudriez	Vous	auriez résolu
Ils, elles	résoudraient	Ils, elles	auraient résolu

IMPÉRATIF

Temps simple	**Temps composé**
Présent	*Passé*
résous	aie résolu
résolvons	ayons résolu
résolvez	ayez résolu

SUBJONCTIF

Temps simples				**Temps composés**			
Présent		*Imparfait*		*Passé*		*Plus-que-parfait*	
Que je	résolve	Que je	résolusse	Que j'	aie résolu	Que j'	eusse résolu
Que tu	résolves	Que tu	résolusses	Que tu	aies résolu	Que tu	eusses résolu
Qu'il, elle	résolve	Qu'il, elle	résolût	Qu'il, elle	ait résolu	Qu'il, elle	eût résolu
Que nous	résolvions	Que nous	résolussions	Que nous	ayons résolu	Que nous	eussions résolu
Que vous	résolviez	Que vous	résolussiez	Que vous	ayez résolu	Que vous	eussiez résolu
Qu'ils, elles	résolvent	Qu'ils, elles	résolussent	Qu'ils, elles	aient résolu	Qu'ils, elles	eussent résolu

Les verbes du 3ᵉ groupe

PARAÎTRE (3ᵉ groupe)

INFINITIF

Présent	Passé
paraître	avoir paru

PARTICIPE

Présent	Passé
paraissant	paru, ayant paru

INDICATIF

Temps simples

Présent	Imparfait	Passé simple	Futur simple
Je parais	Je paraissais	Je parus	Je paraîtrai
Tu parais	Tu paraissais	Tu parus	Tu paraîtras
Il, elle paraît	Il, elle paraissait	Il, elle parut	Il, elle paraîtra
Nous paraissons	Nous paraissions	Nous parûmes	Nous paraîtrons
Vous paraissez	Vous paraissiez	Vous parûtes	Vous paraîtrez
Ils, elles paraissent	Ils, elles paraissaient	Ils, elles parurent	Ils, elles paraîtront

Temps composés

Passé composé	Plus-que-parfait	Passé antérieur	Futur antérieur
J' ai paru	J' avais paru	J' eus paru	J' aurai paru
Tu as paru	Tu avais paru	Tu eus paru	Tu auras paru
Il, elle a paru	Il, elle avait paru	Il, elle eut paru	Il, elle aura paru
Nous avons paru	Nous avions paru	Nous eûmes paru	Nous aurons paru
Vous avez paru	Vous aviez paru	Vous eûtes paru	Vous aurez paru
Ils, elles ont paru	Ils, elles avaient paru	Ils, elles eurent paru	Ils, elles auront paru

CONDITIONNEL

Temps simple	Temps composé
Présent	Passé
Je paraîtrais	J' aurais paru
Tu paraîtrais	Tu aurais paru
Il, elle paraîtrait	Il, elle aurait paru
Nous paraîtrions	Nous aurions paru
Vous paraîtriez	Vous auriez paru
Ils, elles paraîtraient	Ils, elles auraient paru

IMPÉRATIF

Temps simple	Temps composé
Présent	Passé
parais	aie paru
paraissons	ayons paru
paraissez	ayez paru

SUBJONCTIF

Temps simples

Présent	Imparfait
Que je paraisse	Que je parusse
Que tu paraisses	Que tu parusses
Qu'il, elle paraisse	Qu'il, elle parût
Que nous paraissions	Que nous parussions
Que vous paraissiez	Que vous parussiez
Qu'ils, elles paraissent	Qu'ils, elles parussent

Temps composés

Passé	Plus-que-parfait
Que j' aie paru	Que j' eusse paru
Que tu aies paru	Que tu eusses paru
Qu'il, elle ait paru	Qu'il, elle eût paru
Que nous ayons paru	Que nous eussions paru
Que vous ayez paru	Que vous eussiez paru
Qu'ils, elles aient paru	Qu'ils, elles eussent paru

Les verbes du 3ᵉ groupe

SENTIR (3ᵉ groupe)

INFINITIF		PARTICIPE	
Présent	*Passé*	*Présent*	*Passé*
sentir	avoir senti	sentant	senti, ayant senti

INDICATIF

Temps simples

Présent		*Imparfait*		*Passé simple*		*Futur simple*	
Je	sens	Je	sentais	Je	sentis	Je	sentirai
Tu	sens	Tu	sentais	Tu	sentis	Tu	sentiras
Il, elle	sent	Il, elle	sentait	Il, elle	sentit	Il, elle	sentira
Nous	sentons	Nous	sentions	Nous	sentîmes	Nous	sentirons
Vous	sentez	Vous	sentiez	Vous	sentîtes	Vous	sentirez
Ils, elles	sentent	Ils, elles	sentaient	Ils, elles	sentirent	Ils, elles	sentiront

Temps composés

Passé composé		*Plus-que-parfait*		*Passé antérieur*		*Futur antérieur*	
J'	ai senti	J'	avais senti	J'	eus senti	J'	aurai senti
Tu	as senti	Tu	avais senti	Tu	eus senti	Tu	auras senti
Il, elle	a senti	Il, elle	avait senti	Il, elle	eut senti	Il, elle	aura senti
Nous	avons senti	Nous	avions senti	Nous	eûmes senti	Nous	aurons senti
Vous	avez senti	Vous	aviez senti	Vous	eûtes senti	Vous	aurez senti
Ils, elles ont senti		Ils, elles avaient senti		Ils, elles eurent senti		Ils, elles auront senti	

CONDITIONNEL

Temps simple		**Temps composé**	
Présent		*Passé*	
Je	sentirais	J'	aurais senti
Tu	sentirais	Tu	aurais senti
Il, elle	sentirait	Il, elle	aurait senti
Nous	sentirions	Nous	aurions senti
Vous	sentiriez	Vous	auriez senti
Ils, elles sentiraient		Ils, elles auraient senti	

IMPÉRATIF

Temps simple	**Temps composé**
Présent	*Passé*
sens	aie senti
sentons	ayons senti
sentez	ayez senti

SUBJONCTIF

Temps simples		**Temps composés**	
Présent	*Imparfait*	*Passé*	*Plus-que-parfait*
Que je sente	Que je sentisse	Que j' aie senti	Que j' eusse senti
Que tu sentes	Que tu sentisses	Que tu aies senti	Que tu eusses senti
Qu'il, elle sente	Qu'il, elle sentît	Qu'il, elle ait senti	Qu'il, elle eût senti
Que nous sentions	Que nous sentissions	Que nous ayons senti	Que nous eussions senti
Que vous sentiez	Que vous sentissiez	Que vous ayez senti	Que vous eussiez senti
Qu'ils, elles sentent	Qu'ils, elles sentissent	Qu'ils, elles aient senti	Qu'ils, elles eussent senti

Les verbes du 3ᵉ groupe

CROÎTRE (3ᵉ groupe)

INFINITIF		PARTICIPE	
Présent	*Passé*	*Présent*	*Passé*
croître	avoir crû	croissant	crû, ayant crû

INDICATIF

Temps simples

Présent		*Imparfait*		*Passé simple*		*Futur simple*	
Je	croîs	Je	croissais	Je	crûs	Je	croîtrai
Tu	croîs	Tu	croissais	Tu	crûs	Tu	croîtras
Il, elle	croît	Il, elle	croissait	Il, elle	crût	Il, elle	croîtra
Nous	croissons	Nous	croissions	Nous	crûmes	Nous	croîtrons
Vous	croissez	Vous	croissiez	Vous	crûtes	Vous	croîtrez
Ils, elles	croissent	Ils, elles	croissaient	Ils, elles	crûrent	Ils, elles	croîtront

Temps composés

Passé composé		*Plus-que-parfait*		*Passé antérieur*		*Futur antérieur*	
J'	ai crû	J'	avais crû	J'	eus crû	J'	aurai crû
Tu	as crû	Tu	avais crû	Tu	eus crû	Tu	auras crû
Il, elle	a crû	Il, elle	avait crû	Il, elle	eut crû	Il, elle	aura crû
Nous	avons crû	Nous	avions crû	Nous	eûmes crû	Nous	aurons crû
Vous	avez crû	Vous	aviez crû	Vous	eûtes crû	Vous	aurez crû
Ils, elles	ont crû	Ils, elles	avaient crû	Ils, elles	eurent crû	Ils, elles	auront crû

CONDITIONNEL | IMPÉRATIF

Temps simple		**Temps composé**		**Temps simple**	**Temps composé**
Présent		*Passé*		*Présent*	*Passé*
Je	croîtrais	J'	aurais crû	croîs	aie crû
Tu	croîtrais	Tu	aurais crû	croissons	ayons crû
Il, elle	croîtrait	Il, elle	aurait crû	croissez	ayez crû
Nous	croîtrions	Nous	aurions crû		
Vous	croîtriez	Vous	auriez crû		
Ils, elles	croîtraient	Ils, elles	auraient crû		

SUBJONCTIF

Temps simples				**Temps composés**			
Présent		*Imparfait*		*Passé*		*Plus-que-parfait*	
Que je	croisse	Que je	crûsse	Que j'	aie crû	Que j'	eusse crû
Que tu	croisses	Que tu	crûsses	Que tu	aies crû	Que tu	eusses crû
Qu'il, elle	croisse	Qu'il, elle	crût	Qu'il, elle	ait crû	Qu'il, elle	eût crû
Que nous	croissions	Que nous	crûssions	Que nous	ayons crû	Que nous	eussions crû
Que vous	croissiez	Que vous	crûssiez	Que vous	ayez crû	Que vous	eussiez crû
Qu'ils, elles	croissent	Qu'ils, elles	crûssent	Qu'ils, elles	aient crû	Qu'ils, elles	eussent crû

Les verbes du 3e groupe

PLAINDRE (3e groupe)

INFINITIF

Présent	Passé
plaindre	avoir plaint

PARTICIPE

Présent	Passé
plaignant	plaint, ayant plaint

INDICATIF

Temps simples

Présent	Imparfait	Passé simple	Futur simple
Je plains	Je plaignais	Je plaignis	Je plaindrai
Tu plains	Tu plaignais	Tu plaignis	Tu plaindras
Il, elle plaint	Il, elle plaignait	Il, elle plaignit	Il, elle plaindra
Nous plaignons	Nous plaignions	Nous plaignîmes	Nous plaindrons
Vous plaignez	Vous plaigniez	Vous plaignîtes	Vous plaindrez
Ils, elles plaignent	Ils, elles plaignaient	Ils, elles plaignirent	Ils, elles plaindront

Temps composés

Passé composé	Plus-que-parfait	Passé antérieur	Futur antérieur
J' ai plaint	J' avais plaint	J' eus plaint	J' aurai plaint
Tu as plaint	Tu avais plaint	Tu eus plaint	Tu auras plaint
Il, elle a plaint	Il, elle avait plaint	Il, elle eut plaint	Il, elle aura plaint
Nous avons plaint	Nous avions plaint	Nous eûmes plaint	Nous aurons plaint
Vous avez plaint	Vous aviez plaint	Vous eûtes plaint	Vous aurez plaint
Ils, elles ont plaint	Ils, elles avaient plaint	Ils, elles eurent plaint	Ils, elles auront plaint

CONDITIONNEL

Temps simple	Temps composé
Présent	**Passé**
Je plaindrais	J' aurais plaint
Tu plaindrais	Tu aurais plaint
Il, elle plaindrait	Il, elle aurait plaint
Nous plaindrions	Nous aurions plaint
Vous plaindriez	Vous auriez plaint
Ils, elles plaindraient	Ils, elles auraient plaint

IMPÉRATIF

Temps simple	Temps composé
Présent	**Passé**
plains	aie plaint
plaignons	ayons plaint
plaignez	ayez plaint

SUBJONCTIF

Temps simples

Présent	Imparfait
Que je plaigne	Que je plaignisse
Que tu plaignes	Que tu plaignisses
Qu'il, elle plaigne	Qu'il, elle plaignît
Que nous plaignions	Que nous plaignissions
Que vous plaigniez	Que vous plaignissiez
Qu'ils, elles plaignent	Qu'ils, elles plaignissent

Temps composés

Passé	Plus-que-parfait
Que j' aie plaint	Que j' eusse plaint
Que tu aies plaint	Que tu eusses plaint
Qu'il, elle ait plaint	Qu'il, elle eût plaint
Que nous ayons plaint	Que nous eussions plaint
Que vous ayez plaint	Que vous eussiez plaint
Qu'ils, elles aient plaint	Qu'ils, elles eussent plaint

Les verbes du 3e groupe

FAIRE (3e groupe)

INFINITIF

Présent	Passé
faire	avoir fait

PARTICIPE

Présent	Passé
faisant	fait, ayant fait

INDICATIF

Temps simples

Présent	Imparfait	Passé simple	Futur simple
Je fais	Je faisais	Je fis	Je ferai
Tu fais	Tu faisais	Tu fis	Tu feras
Il, elle fait	Il, elle faisait	Il, elle fit	Il, elle fera
Nous faisons	Nous faisions	Nous fîmes	Nous ferons
Vous faites	Vous faisiez	Vous fîtes	Vous ferez
Ils, elles font	Ils, elles faisaient	Ils, elles firent	Ils, elles feront

Temps composés

Passé composé	Plus-que-parfait	Passé antérieur	Futur antérieur
J' ai fait	J' avais fait	J' eus fait	J' aurai fait
Tu as fait	Tu avais fait	Tu eus fait	Tu auras fait
Il, elle a fait	Il, elle avait fait	Il, elle eut fait	Il, elle aura fait
Nous avons fait	Nous avions fait	Nous eûmes fait	Nous aurons fait
Vous avez fait	Vous aviez fait	Vous eûtes fait	Vous aurez fait
Ils, elles ont fait	Ils, elles avaient fait	Ils, elles eurent fait	Ils, elles auront fait

CONDITIONNEL

Temps simple	Temps composé
Présent	Passé
Je ferais	J' aurais fait
Tu ferais	Tu aurais fait
Il, elle ferait	Il, elle aurait fait
Nous ferions	Nous aurions fait
Vous feriez	Vous auriez fait
Ils, elles feraient	Ils, elles auraient fait

IMPÉRATIF

Temps simple	Temps composé
Présent	Passé
fais	aie fait
faisons	ayons fait
faites	ayez fait

SUBJONCTIF

Temps simples

Présent	Imparfait
Que je fasse	Que je fisse
Que tu fasses	Que tu fisses
Qu'il, elle fasse	Qu'il, elle fît
Que nous fassions	Que nous fissions
Que vous fassiez	Que vous fissiez
Qu'ils, elles fassent	Qu'ils, elles fissent

Temps composés

Passé	Plus-que-parfait
Que j' aie fait	Que j' eusse fait
Que tu aies fait	Que tu eusses fait
Qu'il, elle ait fait	Qu'il, elle eût fait
Que nous ayons fait	Que nous eussions fait
Que vous ayez fait	Que vous eussiez fait
Qu'ils, elles aient fait	Qu'ils, elles eussent fait

Chapitre deuxième

Les mécanismes du verbe

Les mécanismes du verbe

Ce second chapitre du cahier est consacré aux mécanismes du verbe parce qu'il est important que l'écolier du second cycle du cours primaire apprenne progressivement la construction du verbe. C'est pourquoi, dans les pages suivantes, nous l'amènerons à identifier la terminaison du verbe, le groupe auquel celui-ci appartient, la signification des différents modes et les caractéristiques des temps simples et composés.

Les activités offertes après chaque rectangle **CONNAISSANCES** devraient permettre à l'écolier d'assimiler les nouvelles notions qu'il vient de se donner.

Le radical et la terminaison

CONNAISSANCES

• **La terminaison**

On appelle terminaison du verbe la partie du mot qui change selon le mode, le temps ou la personne.

Ex.: Vous parl<u>iez</u>.

• **Le radical**

On appelle radical la partie du mot qui ne change pas.

Ex.: Ils <u>étudi</u>ent.

Il est toujours important que tu identifies correctement la terminaison du verbe si tu veux être capable de reconnaître sa personne, son temps et son mode.

Activité 1

Souligne la terminaison de chacun des verbes.

1. Je courais
2. Tu crois
3. Elle comprend
4. Nous aimions
5. Vous soulevez
6. Elles lisent
7. Entendant
8. Terminé
9. Tu parles
10. Elle identifie

11. Je finirai
12. Regarde
13. Nous profiterions
14. Vous pâlissez
15. Elles cherchent
16. Rendu
17. Prendre
18. J'écrirais
19. Assurer
20. Tu connais

Activité 2

Encercle le radical de chacun des verbes.

1. Je frappe
2. Tu gâtes
3. Elle glaçait
4. Nous appelons
5. Vous réunirez
6. Pleuvant
7. Fuir
8. Attends
9. Je plaçai
10. Ils envahissent

11. Tu admets
12. Elle consolerait
13. Nous réserverions
14. Exagérons
15. Que j'exécute
16. Qu'ils poussent
17. Vous passiez
18. Tu récolteras
19. Je plantais
20. Elle frémit

Encercle la terminaison de chaque verbe.

1. Nos vacances approchent à grand pas.

2. J'hésitais devant cette dépense qui viderait mon compte de banque.

3. Ses amis désirent participer au mouvement scout.

4. La professeure présenta nos travaux corrigés.

5. D'ici, nous entendons passer le train.

6. Comme prévu, la neige tomba ce jour-là en grande quantité.

7. En décevant ses parents, Lucie se sentit coupable.

8. Jean surveillait ses deux petits frères.

9. On fuira par le sentier quand mon oncle paraîtra.

10. Les deux dames nettoient les vêtements avant de les donner.

11. Cette compagnie de produits chimiques pollue l'air.

12. Rema trahira finalement notre confiance.

13. On dit que cet employeur congédiera plusieurs employés.

14. Cet autobus transporte des écoliers à l'école.

15. Chaque fois qu'on en parle, Madeleine refuse d'écouter.

Activité 4

Encercle le radical de chaque verbe.

1. Julio craint que la pluie ne gâte ses vêtements neufs.

2. Pour posséder du vocabulaire, il n'existe que la lecture.

3. Durant la nuit, les enfants entendaient toutes sortes de bruits inquiétants.

4. Elle retrouva Stéphane caché sous une couverture.

5. Le vent souffle et la tempête menace les bateaux.

6. Aimeriez-vous venir avec nous au cinéma?

7. Quelle matière scolaire préfères-tu?

8. Je décorais avec soin un cadeau que je voulais offrir à ma mère.

9. Plusieurs médecins soignent les blessés.

10. Les inondations faisaient des nombreuses victimes chaque année.

11. Quand j'utilise ma bicyclette, mes parents me recommandent la prudence.

12. Un policier vient ce matin nous parler de son métier.

13. Je connais très bien mes voisins et je joue parfois avec eux.

14. Qui me rendra mes crayons perdus?

15. En travaillant très fort, je réussirai.

Les groupes des verbes

CONNAISSANCES

Habituellement, pour s'assurer qu'un verbe est correctement orthographié, on le compare au verbe témoin du groupe auquel il appartient.

On classe dans:
- le **1er groupe** les verbes dont l'infinitif est en -ER comme AIMER;
- le **2e groupe** les verbes dont l'infinitif est en -IR (participe présent en -ISSANT) comme FINIR;
- le **3e groupe** tous les autres verbes dont l'infinitif est en -OIR (POUVOIR, DEVOIR, RECEVOIR), -RE (FAIRE), -AÎTRE (PARAÎTRE), -INDRE (PLAINDRE), -OÎTRE (CROÎTRE), -IR (SENTIR), -ENDRE (PRENDRE), -OUDRE (COUDRE), etc.

Les difficultés proviennent presque toujours des verbes du 3e groupe à cause de la variété de la terminaison des verbes qui y ont été regroupés.

Pour arriver à identifier le groupe auquel un verbe appartient, il suffit de mettre celui-ci à l'infinitif présent.

Écris les verbes suivants à l'infinitif et dis à quel groupe chacun appartient.

	Infinitif présent	Groupe
1. J'avais cru		
2. Tu prendras		
3. Je conseillais		
4. Elle vérifie		
5. Nous garderons		
6. Vous serviez		
7. Ils ont conservé		
8. Prétendre		
9. Rougissant		
10. Frappe		
11. Je suppliai		
12. Tu gèlerais		
13. Il voulait		
14. Nous avions vu		
15. Vous auriez pris		

Activité 6

Écris les verbes suivants à l'infinitif et dis à quel groupe chacun appartient.

	Infinitif présent	Groupe
1. Il craint		
2. Elle ternissait		
3. Tu remues		
4. Écrivons		
5. Travaillant		

	Infinitif présent	Groupe
6. Je peux	_____	_____
7. Vous hésitiez	_____	_____
8. Nous bénirons	_____	_____
9. Senti	_____	_____
10. Ils prennent	_____	_____
11. Je parviendrai	_____	_____
12. Tu aurais décidé	_____	_____
13. Il partit	_____	_____
14. Tu installas	_____	_____
15. Ils ont bu	_____	_____

Activité 7

Trouve les 15 verbes de ce texte, écris-les à l'infinitif présent et donne leur groupe.

Le Ballon

Paul hésite. Le ballon neuf que sa mère lui a donné ce matin a franchi le haut mur de pierre qui entoure le domaine de sa voisine, l'étrange madame Smith. Il voudrait bien récupérer son ballon, mais il sait que la vieille dame ne lui ouvrira même pas la porte s'il va sonner chez elle. Finalement, décidé à trouver une solution, le petit garçon de neuf ans longe le mur à la recherche d'un trou par où il pourrait se glisser.

	Verbes	Infinitif présent	Groupe
1.	_____	_____	_____
2.	_____	_____	_____
3.	_____	_____	_____
4.	_____	_____	_____
5.	_____	_____	_____
6.	_____	_____	_____
7.	_____	_____	_____

8. _____   _____   _____
9. _____   _____   _____
10. _____   _____   _____
11. _____   _____   _____
12. _____   _____   _____
13. _____   _____   _____
14. _____   _____   _____
15. _____   _____   _____

Activité 8

Trouve les 15 verbes de ce texte, écris-les à l'infinitif présent et donne leur groupe.

Le Ballon (suite)

Après plusieurs minutes de recherche, Paul découvre enfin une fissure. Il passe quatre jours à élargir cette fissure. Chaque fois que ses parents lui demandent où se trouve son ballon, il répond qu'il l'a rangé dans sa chambre. Au début de l'après-midi du quatrième jour, le petit garçon a creusé un trou assez large pour s'introduire dans le domaine de sa voisine. Il jette d'abord un regard inquiet autour de lui et il s'avance sur la pelouse. Tout d'abord, il ne voit pas son ballon neuf, puis il l'aperçoit soudainement près du mur d'un hangar, au fond du terrain. En se dissimulant, il se rend jusqu'au bâtiment de tôle.

Inspiré du récit *Le Ballon rouge*, Pierre Bellemare.

	Verbes	Infinitif présent	Groupe
1.	_____	_____	_____
2.	_____	_____	_____
3.	_____	_____	_____
4.	_____	_____	_____
5.	_____	_____	_____
6.	_____	_____	_____
7.	_____	_____	_____
8.	_____	_____	_____

9. _____ _____ _____

10. _____ _____ _____

11. _____ _____ _____

12. _____ _____ _____

13. _____ _____ _____

14. _____ _____ _____

15. _____ _____ _____

Activité 9

Dis à quel groupe chacun des verbes appartient.

1. On voyait _____ le soleil se lever _____ au-dessus de la montagne.

2. Pour faire _____ de la place à la nouvelle venue, on a établi _____ un nouvel horaire.

3. Dès juin, les moustiques envahissent _____ la région et rendent _____ la vie insupportable.

4. Pourquoi dites-vous _____ que nous ne partirons _____ que demain?

5. Tu ne comprends _____ pas que ces conseils t'aideront _____ à réussir _____.

6. Darnelle, la cadette, désirait _____ qu'on lui offre _____ pour son anniversaire une bicyclette de montagne.

7. Trois colonies de vacances avaient refusé _____ de les recevoir _____.

8. Je lis _____ présentement une bande dessinée empruntée _____ à la bibliothèque.

9. Mon institutrice me félicitera _____ sûrement pour les progrès que j'ai accomplis _____.

10. Tremblant _____ de peur, Ernesto ouvrit _____ quand même la porte.

11. Tu as reçu _____ un chaton à Noël et tu en prends _____ grand soin.

12. Malgré le froid qu'il fait _____, nous patinerons _____ sur l'étang.

13. Elle aurait aimé _____ venir _____ chez son amie dès le lendemain.

14. On construit _____ une très belle maison près de chez moi.

15. J'ai accepté _____ le poste de brigadier pour protéger _____ la vie de mes camarades.

Activité 10

Dis à quel groupe chacun des verbes appartient.

1. Certains écoliers arrivaient _____ parfois en retard parce qu'ils avaient oublié _____ l'heure.

2. Je reviendrai _____ vous prendre _____ demain matin.

3. Songez-vous _____ à tous les sacrifices auxquels elles ont consenti _____ .

4. Pour peindre _____ ces murs, nous avons engagé _____ un vieux peintre.

5. L'accident s'est produit _____ à un carrefour que nous savions _____ très dangereux.

6. Il paraît _____ que les scouts iront _____ à un camp d'hiver.

7. Nos athlètes courront _____ mieux si nous leur offrons _____ un solide entraînement.

8. La dispute débuta _____ pour une raison que vous jugerez _____ peut-être insignifiante.

9. Le congrès a élu _____ une femme que la population connaît _____ très peu.

10. Les jeux adoptés _____ par ces jeunes peuvent _____ devenir _____ dangereux.

11. Je vous assure _____ que notre équipe jouera _____ un jour contre la vôtre.

12. Vous entendrez _____ certainement parler _____ d'eux quand ils reviendront _____ de leur voyage.

13. Ma mère s'assoyait _____ toujours près de la fenêtre pour nous surveiller _____ .

14. Il vaut _____ mieux agir _____ tout de suite.

15. Mélanie cousait _____ encore à l'extérieur, même si le ciel s'assombrissait _____ .

Les modes du verbe

- **La définition**

  Le mode du verbe, c'est la manière dont on considère l'action exprimée par ce verbe. Il existe six modes: quatre modes personnels et deux modes impersonnels.

- **Les sortes de modes**

  On appelle **MODES PERSONNELS** tous les modes où le verbe se conjugue aux différentes personnes.

  - **L'INDICATIF** (*j'écris, tu as écrit, il écrivait, nous écrirons...*).

  - **LE CONDITIONNEL** (*j'écrirais, tu aurais écrit...*).

  - **L'IMPÉRATIF** (*écris, écrivons...*).

  - **LE SUBJONCTIF** (*que j'écrive, que tu aies écrit...*).

  On appelle **MODES IMPERSONNELS** les modes qui ne distinguent pas les personnes.

  - **L'INFINITIF** (*écrire, avoir écrit*).

  - **LE PARTICIPE** (*écrivant, écrit*).

- **Les modes et l'action**

  - **L'INDICATIF** présente l'action comme un fait certain
    qui arrive (*j'attends*);
    qui est arrivé (*j'ai attendu, j'attendais, j'attendis, j'avais attendu et j'eus attendu*);
    qui arrivera (*j'attendrai, j'aurai attendu*).

  - **LE CONDITIONNEL** présente l'action comme possible à certaines conditions.
    J'attendrais si... J'aurais attendu si...

  - **LE SUBJONCTIF** présente l'action comme un souhait ou une pensée.
    Il ne faut pas que j'attende.

  - **L'IMPÉRATIF** présente l'action comme une prière ou un ordre.
    Attends.

  - **L'INFINITIF** présente l'action comme un simple nom.
    Attendre n'est pas facile.

  - **LE PARTICIPE** présente l'action comme un simple adjectif.
    Les personnes attendues sont mes trois frères.

Utilise l'indicatif et présente chacune de ces actions comme un fait certain.

1. Aller à l'école. (Écris à la 1re personne du singulier.)

   1. Un fait certain qui s'est passé hier.

   _____

   2. Un fait certain qui se passe aujourd'hui.

   _____

   3. Un fait certain qui se passera demain.

   _____

2. Rester des amis. (Écris à la 1re personne du pluriel.)

   1. Un fait certain qui s'est passé hier.

   _____

   2. Un fait certain qui se passe aujourd'hui.

   _____

   3. Un fait certain qui se passera demain.

   _____

3. Présenter un travail bien fait. (Écris à la 3e personne du pluriel.)

   1. Un fait certain qui s'est passé hier.

   _____

   2. Un fait certain qui se passe aujourd'hui.

   _____

   3. Un fait certain qui se passera demain.

   _____

4. Gagner la partie. (Écris à la 2e personne du pluriel.)

    1. Un fait certain qui s'est passé hier.

    _____

    2. Un fait certain qui se passe aujourd'hui.

    _____

    3. Un fait certain qui se passera demain.

    _____

5. Aimer les congés. (Écris à la 2e personne du singulier.)

    1. Un fait certain qui s'est passé hier.

    _____

    2. Un fait certain qui se passe aujourd'hui.

    _____

    3. Un fait certain qui se passera demain.

    _____

6. Sylvie parler au professeur. (Écris à la 3e personne du singulier.)

    1. Un fait certain qui s'est passé hier.

    _____

    2. Un fait certain qui se passe aujourd'hui.

    _____

    3. Un fait certain qui se passera demain.

    _____

Activité 12

Utilise l'indicatif et présente chacune des actions à quatre temps différents. Tu dois présenter chaque action comme un fait certain qui s'est passé hier.

Ex.: Aller en auto. (1re personne du pluriel.)

1. Nous sommes allés en auto.
2. Nous allions en auto.
3. Nous allâmes en auto.
4. Nous fûmes allés en auto.

1. Participer à la compétition. (1re personne du singulier.)

   1. _____
   2. _____
   3. _____
   4. _____

2. Comprendre les explications. (2e personne du singulier.)

   1. _____
   2. _____
   3. _____
   4. _____

3. Penser aux autres. (3e personne du singulier.)

   1. _____
   2. _____
   3. _____
   4. _____

4. Être en congé. (1re personne du pluriel.)

   1. _____
   2. _____
   3. _____
   4. _____

43

5. Rater son autobus. (2e personne du pluriel.)

    1. _____

    2. _____

    3. _____

    4. _____

6. Dormir très tard. (3e personne du pluriel.)

    1. _____

    2. _____

    3. _____

    4. _____

Activité 13

Utilise l'indicatif et présente chacune des actions comme un fait certain qui se passe aujourd'hui.

1. Croire en l'amour de ses parents. (1re personne du singulier.)

   _____

2. Avouer une erreur grave. (2e personne du singulier.)

   _____

3. Sélina craindre l'obscurité. (3e personne du singulier.)

   _____

4. Organiser une fête. (1re personne du pluriel.)

   _____

5. Interroger les responsables. (2e personne du pluriel.)

   _____

6. Prédire une tempête. (3e personne du pluriel.)

   _____

7. Préparer un examen. (1re personne du singulier.)

   _____

8. Accompagner sa sœur. (2ᵉ personne du singulier.)

_____

9. Abandonner l'équipe. (3ᵉ personne du singulier.)

_____

10. Essayer de réparer les dégâts. (1ʳᵉ personne du pluriel.)

_____

11. Regarder la télévision. (2ᵉ personne du pluriel.)

_____

12. Tondre le gazon. (3ᵉ personne du pluriel.)

_____

Activité 14

Utilise l'indicatif et présente chacune des actions comme un fait certain qui se passera demain.

Ex.: Chercher mon bâton de hockey. (1ʳᵉ personne du singulier.)

    1. Je chercherai mon bâton de hockey.
    2. J'aurai cherché mon bâton de hockey.

1. Planter ma tente près du ruisseau. (1ʳᵉ personne du singulier.)

    1. _____

    2. _____

2. Apprendre à danser. (2ᵉ personne du singulier.)

    1. _____

    2. _____

3. Prétendre tout savoir. (3ᵉ personne du singulier.)

    1. _____

    2. _____

4. Courir trop lentement. (1ʳᵉ personne du pluriel.)

    1. _____

    2. _____

5. Inquiéter vos parents. (2ᵉ personne du pluriel.)

   1. _____

   2. _____

6. S'installer confortablement. (3ᵉ personne du pluriel.)

   1. _____

   2. _____

Activité 15

Utilise le conditionnel et présente chacune de ces actions comme étant possible si la condition se réalisait.

Ex.: Je paierais si j'avais de l'argent.
J'aurais payé si j'avais eu de l'argent.

1. Si j'étudiais, j'_____ (avoir) de bonnes notes.

   Si j'avais étudié, j'_____ (avoir) de bonnes notes.

2. Si elle t'expliquait, tu _____ (comprendre) mieux.

   Si elle t'avait expliqué, tu _____ (comprendre) mieux.

3. Si notre auto était neuve, elle ne _____ (être) pas rouillée.

   Si notre auto avait été neuve, elle n'_____ (être) rouillée.

4. Si on nous encourageait, nous _____ (connaître) le succès.

   Si on nous avait encouragés, nous _____ (connaître) le succès.

5. Si l'autobus arrivait, vous _____ (pouvoir) partir.

   Si l'autobus était arrivé, vous _____ (pouvoir) partir.

6. Si les employés le voulaient, les patrons _____ (faire) des changements.

   Si les employés l'avaient voulu, les patrons _____ (faire) des changements.

7. Je lui _____ (écrire) une lettre si elle le voulait.

   Je lui _____ (écrire) une lettre si elle l'avait voulu.

8. Tu _____ (remporter) la victoire si tu avais plus de chance.

   Tu _____ (remporter) la victoire si tu avais eu plus de chance.

46

9. Elle _____ (tomber) si elle n'avait pas sa canne.

   Elle _____ (tomber) si elle n'avait pas eu sa canne.

10. Nous _____ (nettoyer) sa cave s'il le demandait.

    Nous _____ (nettoyer) sa cave s'il l'avait demandé.

11. Vous _____ (fuir) si on cherchait à vous maltraiter.

    Vous _____ (fuir) si on avait cherché à vous maltraiter.

12. Les policiers l'_____ (arrêter) s'ils avaient des indices.

    Les policiers l'_____ (arrêter) s'ils avaient eu des indices.

Activité 16

Utilise l'impératif et présente chacune des actions comme un ordre ou une prière. Écris le verbe à la 2ᵉ personne du singulier.

1. Ramasser ton linge.

    _____

2. Prendre tes bagages.

    _____

3. Lire ce paragraphe.

    _____

4. Collectionner des timbres.

    _____

5. Repousser cette tentation.

    _____

6. Travailler plus longtemps.

    _____

7. Connaître tes règles.

    _____

8. Laver la vaisselle.

    _____

9. Écouter cette chanson.

   _____

10. Regarder ton voisin.

    _____

11. Sortir les déchets.

    _____

12. Conduire la voiture.

    _____

13. Voir un bon film.

    _____

14. Saisir une occasion.

    _____

15. Peindre sa chambre.

    _____

Activité 17

Utilise le subjonctif et présente chacune des actions comme une pensée ou un souhait.

Ex.: Je désire qu'elle prenne l'avion.

1. Son institutrice veut qu'elle _____ (raconter) ses vacances.

2. Il faut que je _____ (venir) chez toi.

3. On veut que tu _____ (répondre) au téléphone.

4. Mes parents désirent que nous _____ (avoir) de bonnes notes.

5. Il est nécessaire que vous _____ (savoir) vos verbes.

6. Il demande que tous vos volumes _____ (être) bien rangés.

7. Il n'est pas bon que j'_____ (obtenir) tout ce que je veux.

8. Sa mère déplore que tu lui _____ (nuire).

9. Ton père veut que tu _____ (aller) à cette colonie de vacances.

10. L'adjudant ordonne que nous _____ (attacher) nos sacs.

48

11. Il faut que vous _____ (élire) une bonne représentante.

12. Tu aimerais que tous _____ (croire) en ta bonne volonté.

13. La bibliothécaire accepte que je _____ (prendre) plusieurs livres.

14. Il est certain qu'elles _____ (devoir) faire mieux.

15. Elle souhaite que nous _____ (être) présents.

Activité 18

À quel mode chacun de ces verbes est-il écrit? Si tu as du mal à identifier le mode, utilise les verbes témoins du chapitre premier.

1. Je perdais _____

2. Tu trouveras _____

3. Elle croit _____

4. Écris _____

5. Pratiquant _____

6. Roulé _____

7. Que je prenne _____

8. Nous aurions _____

9. Refuser _____

10. Elle a commis _____

11. Que vous aimiez _____

12. Tu aurais vu _____

13. Changeons _____

14. Il avait mangé _____

15. Elle brisa _____

16. J'étudierai _____

17. Tu auras publié _____

18. Elle reviendrait _____

19. Qu'ils perçoivent _____

20. Elles existèrent _____

À quel mode chacun de ces verbes est-il écrit? Si tu as du mal à identifier le mode, utilise les verbes témoins du chapitre premier.

1. On raconte _____

2. Tu as fui _____

3. Elle prendrait _____

4. Nous observâmes _____

5. Ayant compris _____

6. Elle fleurissait _____

7. J'aurais fait _____

8. Plaindre _____

9. Ils auront pâli _____

10. Vous aviez protégé _____

11. Passez _____

12. Ils ont placé _____

13. Déguisé _____

14. Que tu finisses _____

15. Cours _____

16. Nous aurions étiré _____

17. Flattant _____

18. Suspendu _____

19. Tu examinas _____

20. Avoir élu _____

Activité 20

Écris au participe présent et au participe passé chaque verbe.

	Participe présent	Participe passé
1. Je parais	_____	_____
2. Tu apprenais	_____	_____
3. Elle laissera	_____	_____
4. Nous avons perdu	_____	_____
5. Vous aurez classé	_____	_____
6. Ils rirent	_____	_____
7. Que je console	_____	_____
8. Étudie	_____	_____
9. Tu donnerais	_____	_____
10. Elle aurait compris	_____	_____
11. Nous crions	_____	_____
12. Vous admettez	_____	_____
13. Ils courent	_____	_____
14. Que je commence	_____	_____
15. Tu conduiras	_____	_____

Activité 21

Écris au participe présent et au participe passé.

	Participe présent	Participe passé
1. Il naît	_____	_____
2. Tu sauras	_____	_____
3. Il bougerait	_____	_____
4. Nous apercevions	_____	_____
5. Vous ajusteriez	_____	_____
6. J'acquiers	_____	_____

	Participe présent	Participe passé
7. Tu romprais	_____	_____
8. Elles soumettent	_____	_____
9. Vous obéissiez	_____	_____
10. Que j'aime	_____	_____
11. Prends	_____	_____
12. Attirez	_____	_____
13. J'ai senti	_____	_____
14. J'avais prévu	_____	_____
15. Assouplir	_____	_____

Activité 22

Écris à l'infinitif présent et à l'impératif présent (2e personne du singulier).

	Infinitif présent	Impératif présent
1. Tu remarqueras	_____	_____
2. Nous lisions	_____	_____
3. J'envoie	_____	_____
4. Elle irait	_____	_____
5. Ils assaillent	_____	_____
6. Nous avons souffert	_____	_____
7. Vous aviez suivi	_____	_____
8. Ils chantèrent	_____	_____
9. Je plains	_____	_____
10. Tu pouvais	_____	_____
11. Il surprendrait	_____	_____
12. Ils parurent	_____	_____
13. Tu perdras	_____	_____
14. Que je souhaite	_____	_____
15. Nous mordions	_____	_____

Activité 23

Écris à l'infinitif présent et à l'impératif présent (2ᵉ personne du singulier).

	Infinitif présent	Impératif présent
1. Ils mourront		
2. Je mens		
3. Tu mis		
4. Elle nageait		
5. Nous monterions		
6. Ils haïssaient		
7. Nous fournissons		
8. Elles fréquentent		
9. Nous avions froissé		
10. Vous aviez frôlé		
11. Ils firent		
12. Que je rencontre		
13. Recevant		
14. Vu		
15. Je dois		

Activité 24

Écris au conditionnel présent et au subjonctif présent (à la 1ʳᵉ personne du singulier) chacun de ces verbes.

	Conditionnel présent	Subjonctif présent
1. Je prie		
2. Tu as avoué		
3. Elle tenait		
4. Nous lirons		
5. Vous aviez élu		
6. Ils dirent		

53

	Conditionnel présent	**Subjonctif présent**
7. Protéger	_____	_____
8. Connaissant	_____	_____
9. Surpris	_____	_____
10. Peins	_____	_____
11. J'aurai vu	_____	_____
12. Tu blanchiras	_____	_____
13. Elle saura	_____	_____
14. Nous fuyons	_____	_____
15. Vous sentiez	_____	_____

Activité 25

Écris au conditionnel présent et au subjonctif présent (à la 1re personne du singulier) chacun de ces verbes.

	Conditionnel présent	**Subjonctif présent**
1. J'attends	_____	_____
2. Tu surveillais	_____	_____
3. Elle étudiera	_____	_____
4. Nous aimâmes	_____	_____
5. Vous avez trouvé	_____	_____
6. Ils burent	_____	_____
7. Je serai parti	_____	_____
8. Tu mourras	_____	_____
9. Elle avait pensé	_____	_____
10. Nous aurons pu	_____	_____
11. Vous auriez saisi	_____	_____
12. Ils tracèrent	_____	_____
13. Persuadé	_____	_____
14. Travaillant	_____	_____
15. Pourrir	_____	_____

Indique le mode de chacun des verbes.

1. S'imposer _____ dans tous les sports est _____ impossible.

2. Les vêtements qu'elle achetait _____ n'auraient pas plu _____ à ses parents.

3. Le lendemain, Pascal regagna _____ son grenier en tenant _____ une vieille valise.

4. On voulait _____ que Françoise se conduise _____ comme une adulte alors qu'elle n'était _____ encore qu'une enfant.

5. Rendu _____ chez le médecin, Cornélius exigea _____ qu'on l'examine _____ .

6. C'est en travaillant _____ durant plus dc trente ans qu'elle a réussi _____ à amasser _____ une telle fortune.

7. Pour que tout soit _____ prêt, Sylvia avait dû _____ se lever _____ très tôt ce matin-là.

8. Les nerfs tendus _____ comme des cordes, on marchait _____ en examinant _____ chaque façade.

9. Arrache _____ tout ce qui dépasse _____ .

10. M'exercer _____ chaque jour m'ennuyait _____ prodigieusement.

11. Je me suis arrêté _____ en haut de la côte pour souffler _____ .

12. À dix heures, il les rappela _____ en pleurant _____ pour leur demander _____ leur aide.

13. Vous n'y arriverez _____ jamais, laissez-moi _____ faire _____ .

14. Tenez _____ , prenez _____ cette rame et ramez _____ .

15. Coincée _____ par la deuxième embarcation, Louise se rejeta _____ en arrière pour se dégager _____ .

Indique le mode de chacun des verbes.

1. Les autres obéirent _____, comprenant _____ que
   le danger était _____ proche.

2. Tâchez _____ de descendre _____ aussi bien que
   vous êtes monté _____.

3. La barque affolée _____ se maintenait _____ à la
   hauteur du cap sans pouvoir _____ le franchir _____.

4. En se bousculant _____, les hommes se précipitèrent
   _____ vers les voitures.

5. Allez _____ vers le sud, hurlait _____ mon oncle à
   tous ceux qui passaient _____.

6. L'homme d'affaires nierait _____ l'évidence s'il le pouvait
   _____.

7. Nous aurions eu _____ une chance de réussir _____
   si nous avions compris _____ qu'il fallait _____
   nous glisser _____ comme des ombres.

8. Faites _____ le tour et vous verrez _____ qu'il y
   aurait eu _____ peu de réparations à exécuter _____
   si on en avait pris _____ soin.

9. Le portrait peint _____ par ce peintre ressemble _____
   peu à l'original.

10. Que désireriez-vous _____ si on vous offrait _____
    d'exaucer _____ un vœu.

11. C'est _____ en nettoyant _____ son arme qu'il s'est
    blessé _____.

12. Cesse _____ de me regarder _____ en m'approuvant
    _____ et travaille _____.

13. Nous désirerions _____ que Gabriel, aidé _____ par
    Maria, prenne _____ la relève.

14. Si elle ressentait _____ encore le mal du pays, elle reviendrait
    _____ sûrement.

15. On a retrouvé _____ une torpille enfoncée _____
    dans le sable de la plage.

Activité 28

Dis à quel mode est chacun des verbes du texte.

┌─────────────── **Le Ballon (suite)** ───────────────┐

Au moment où Paul se penchait _____ pour ramasser _____ son ballon, il entendit _____ une sorte de grattement venant _____ du hangar. Il crut _____ d'abord que c'était _____ un animal, un chien peut-être. En tendant _____ l'oreille, il perçut _____ une sorte de ronflement. Alors, le garçon se laissa _____ entraîner _____ par la curiosité et il fit _____ le tour du petit bâtiment en cherchant _____ la porte. Il la trouva _____ mais il y avait _____ un cadenas.

En regardant _____ entre les tôles, Paul ne vit _____ tout d'abord rien. Puis, dans la semi-obscurité, il aperçut _____ un grand-père. Un homme qui porte _____ une barbe blanche est _____ nécessairement un grand-père. C'était _____ lui qui faisait _____ ce bruit. Paul l'observa _____ plusieurs minutes. Il n'avait _____ pas l'air bien méchant. Paul gratta _____ la tôle.

— Eh! monsieur, on vous a enfermé _____ ?

Le vieil homme ne répondit _____ pas mais il se traîna _____ jusqu'à la fissure où Paul se trouvait _____. Il se contenta _____ de regarder _____ le garçon. Paul essaya _____ d'écarter _____ la tôle pour mieux voir _____ et le vieillard fit _____ de même. Finalement, les doigts du vieillard rejoignirent _____ ceux de l'enfant mais il était _____ impossible d'écarter _____ plus la tôle.

— On vous a défendu _____ de sortir _____ ?

— Défendu _____ ... répète _____ le vieillard en hochant _____ la tête.

— Attendez-moi _____ , je reviens _____ !

Inspiré du récit *Le Ballon rouge*, Pierre Bellemare

└───┘

Activité 29

Dis à quel mode est chacun des verbes du texte.

┌─ **Le Ballon (suite)** ─┐

Son ballon sous le bras, Paul galopa _____ jusqu'à chez lui. Il prit _____ dans l'atelier de son père le premier outil qui lui tomba _____ sous la main: une clé à molette. Traversant _____ le mur et rampant _____ jusqu'au hangar, il se mit _____ au travail. Après une heure d'efforts, il finit _____ par pratiquer _____ une petite fenêtre dans la tôle. En voyant _____ que le vieillard avait_____ un pied attaché _____ et qu'il portait_____ une chaîne au cou, Paul devina _____ que le grand-père avait _____ faim. Tirant _____ une tablette de chocolat de sa poche, il la lui tendit _____. L'homme se mit _____ à la manger _____ et deux grosses larmes roulèrent _____ sur ses joues.

— As-tu _____ mal? demanda _____ le garçon.

Le vieillard fit _____ non avec la tête.

— As-tu _____ faim? Demain, je vais _____ t'apporter _____ des crêpes.

Paul repartit _____ et, en entrant _____ chez lui, il dit _____ à sa mère avoir découvert _____ un grand-père attaché _____ dans le hangar de la voisine et qu'il voulait _____ des crêpes pour lui le lendemain. En riant _____, sa mère lui promit _____ des crêpes. Toutes les raisons étaient _____ bonnes pour obtenir _____ des crêpes.

Inspiré du récit *Le Ballon rouge*, Pierre Bellemare

58

Les temps des verbes

CONNAISSANCES

Il existe trois temps.

- Le **présent** indique que l'action se fait au moment où on le dit.
  Ex.: *Je pense.*
- Le **passé** indique que l'action a été faite au moment où on le dit.
  Ex.: *Je pensais.*
- Le **futur** indique que l'action n'est pas encore faite au moment où on en parle.
  Ex.: *Je penserai.*

On classe les temps des verbes en...

- **temps simples**: des temps où le verbe est formé d'un seul mot.
  Ex.: *J'aimais*
- **temps composés**: des temps où le verbe est formé d'un auxiliaire (AVOIR ou ÊTRE) et du participe passé de ce verbe.
  Ex.: *J'avais aimé.*

- **Les temps simples**
  - Les temps simples sont, à L'INDICATIF,
    1. le présent (*je parle*),
    2. l'imparfait (*je parlais*),
    3. le futur simple (*je parlerai*),
    4. le passé simple (*je parlai*).

  - Le temps simple est, au CONDITIONNEL,
    le présent (*je parlerais*).

  - Le temps simple est, à L'IMPÉRATIF,
    le présent (*parle*).

  - Les temps simples sont, au SUBJONCTIF,
    1. le présent (*que je parle*),
    2. l'imparfait (*que je parlasse*).

  - Le temps simple est, à L'INFINITIF,
    le présent (*parler*).

  - Les temps simples sont, au PARTICIPE,
    1. le présent (*parlant*),
    2. le passé à la première forme (*parlé*).

- **Les temps composés**
  - Les temps composés sont, à **L'INDICATIF**,
    1. le passé composé (*j'ai parlé*),
    2. le plus-que-parfait (*j'avais parlé*),
    3. le futur antérieur (*j'aurai parlé*),
    4. le passé antérieur (*j'eus parlé*).

  - Le temps composé est, au **CONDITIONNEL**,
    le passé (*j'aurais parlé*).

  - Le temps composé est, à **L'IMPÉRATIF**,
    le passé (*aie parlé*).

  - Les temps composés sont, au **SUBJONCTIF**,
    1. le passé (*que j'aie parlé*),
    2. le plus-que-parfait (*que j'eusse parlé*).

  - Le temps composé est, à **L'INFINITIF**,
    le passé (*avoir parlé*).

  - Le temps composé est, au **PARTICIPE**,
    le passé à la deuxième forme (*ayant parlé*).

- **Comment sont formés les temps composés**

  Pour tous les modes, les temps composés sont formés avec l'auxiliaire et le participe passé du verbe et ils imitent le modèle du temps simple qui leur correspond. Ainsi,

À L'INDICATIF

Temps simple	Temps composé
1. le présent (je finis);	1. le passé composé: le présent et le participe passé (j'ai fini);
2. l'imparfait (je finissais);	2. le plus-que-parfait: l'imparfait et le participe passé (j'avais fini);
3. le futur simple (je finirai);	3. le futur antérieur: le futur simple et le participe passé (j'aurai fini);
4. le passé simple (je finis).	4. le passé antérieur: le passé simple et le participe passé (j'eus fini).

AU CONDITIONNEL

1. le présent (je finirais).	1. le passé: le présent et le participe passé (j'aurais fini).

À L'IMPÉRATIF

1. le présent (finis).	1. le passé: le présent et le participe passé (aie fini).

AU SUBJONCTIF

1. le présent (que je finisse);

2. l'imparfait (que je finisse).

1. le passé: le présent et le participe passé (que j'aie fini);

2. le plus-que-parfait: l'imparfait et le participe passé (que j'eusse fini).

À L'INFINITIF

1. le présent (finir).

1. le passé: le présent et le participe passé (avoir fini).

AU PARTICIPE

1. le présent (finissant).

1. le passé: le présent et le participe passé (pour la 2e forme: ayant fini).

- **La signification des temps**

  Tu dois te rappeler que...

  - le **PRÉSENT** indique toujours une action qui est en train de se faire.
  - le **PASSÉ COMPOSÉ** indique une action passée qui est terminée.
  - l'**IMPARFAIT** indique une action passée qui n'était pas terminée.
  - le **FUTUR SIMPLE** indique une action qui n'est pas encore faite.

    Ex.: Je joue aux cartes.
    Hier, j'ai joué aux cartes.
    À ce moment-là, je jouais aux cartes.
    Demain, je jouerai aux cartes.

Activité 30

Dis si les verbes suivants sont écrits à un temps passé, présent ou futur.

1. Construis _____

2. Ayant cru _____

3. Je prendrai _____

4. Ils mirent_____

5. Tu avais compris _____

6. Elle a entendu _____

7. Poursuivons _____

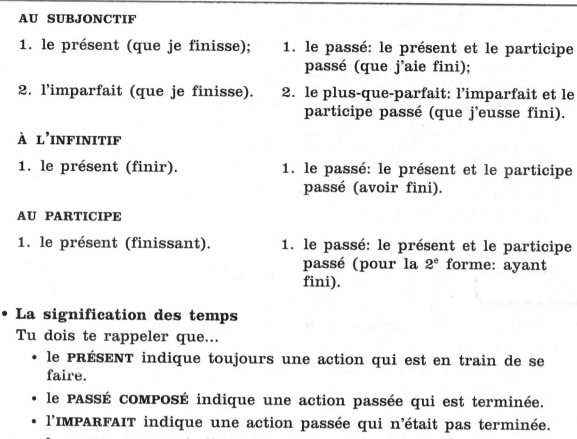

8. Nous consolons _____

9. Que je tienne _____

10. Vous avez cassé _____

11. Ils avaient prétendu _____

12. Tu armeras _____

13. J'aurai tendu _____

14. Il estima _____

15. Lâchant _____

Activité 31

Dis si les verbes suivants sont écrits à un temps passé, présent ou futur.

1. Je conseillai _____

2. Tu marqueras _____

3. Passez _____

4. Elle a cousu _____

5. Nous avions marché _____

6. Vous aurez écrit _____

7. Ils perdirent _____

8. Que nous sachions _____

9. Avoir senti _____

10. Soutenant _____

11. Ayant fini _____

12. Vous avez compilé _____

13. Elles avaient sali _____

14. Il riait _____

15. Vous retrouverez _____

Activité 32

Dis si le verbe exprime une action présente, passée ou future.

1. La semaine dernière, j'ai perdu _____ ma bicyclette.

2. Si tu le veux _____, je prendrai _____ le premier tour de garde.

3. Si on l'avait avertie _____, rien ne serait arrivé _____.

4. Ses notes baissent _____ et il devra _____ faire un travail supplémentaire.

5. Nous connaissons _____ des gens qui soignent _____ cette maladie.

6. La neige tombait _____ sans arrêt depuis trois heures.

7. Vous nous quitterez _____ avant neuf heures.

8. Elles espèrent _____ encore que nous reviendrons _____.

9. Essayez _____ de nous comprendre.

10. Nous aurions pu _____ éviter l'incendie si nous avions pris _____ des mesures adéquates.

11. Quand tu auras terminé _____ cette lettre, Pierre la portera _____ au bureau de poste.

12. La directrice veut _____ que je fasse _____ plus d'effort.

13. En 1920, la circulation automobile avait déjà fait _____ plusieurs victimes dans la région.

14. Si nous ne travaillons pas _____ à la dépollution de cette rivière, personne ne pourra _____ plus s'y baigner.

15. L'entente entre les deux amis n'avait jamais été _____ aussi parfaite.

Activité 33

Dis si le verbe exprime une action présente, passée ou future.

1. Les monitrices ne sauront _____ jamais ce qui s'était passé _____ ce jour-là.

2. Le Monitor est _____ très ancien puisqu'il fut lancé _____ en 1932.

3. Ils ont lu _____ toutes les bandes dessinées que la bibliothèque offre _____ .

4. À cette occasion, mes parents invitèrent _____ plusieurs amis qui célébrèrent _____ la promotion de mon père.

5. Ayant remisé _____ sa moto pour l'hiver, Quyn prend maintenant l'autobus, comme nous.

6. Tu réussiras _____ cet examen parce que tu l'as très bien préparé _____ .

7. Quand j'aurai vu _____ ce film, je vous en parlerai _____ .

8. Je partis _____ en vacances avec l'intention de m'instruire un peu.

9. Vous aurez _____ une chance quand elle aura démissionné _____ .

10. Je ne fume _____ plus parce que c'était _____ mauvais pour ma santé.

11. Les matelots ont demandé _____ au capitaine ce qu'ils devaient _____ faire.

12. Aide _____ tes parents et ils t'en seront _____ reconnaissants.

13. Nous allâmes _____ chez le vétérinaire.

14. Mon patron veut _____ que j'aie terminé _____ pour dix heures.

15. Le ruisseau sillonnait _____ à travers les champs.

Activité 34

Dis si le verbe est écrit à un temps simple ou à un temps composé.

1. Je touchai _____
2. Tu voyais _____
3. Il a voulu _____
4. Elle avait habillé _____
5. Nous ridiculisâmes _____
6. Vous ridiez _____
7. J'aurais ri _____
8. Ayant rivé _____
9. Rôdant _____
10. Tu siégeras _____
11. Tu auras aimé _____
12. Ils auront solutionné _____
13. Qu'ils aient signé _____
14. Simplifie _____
15. Signaler _____

Activité 35

Dis si le verbe est écrit à un temps simple ou à un temps composé.

1. J'eus vécu _____
2. Tu avais paru _____
3. Il tira _____
4. Avoir vidé _____
5. Que vous vérifiiez _____
6. Ils ont vengé _____
7. Elle eut tremblé _____
8. Nous avons totalisé _____

9. Tu tondras _____

10. Elles pensèrent _____

11. Vous craignez _____

12. Nous avions veillé _____

13. Abandonnons _____

14. Tu aurais vu _____

15. Elle voilait _____

Activité 36

À quel mode et à quel temps est chacun de ces verbes?

	Mode	Temps
1. Je prends	_____	_____
2. Tu offrais	_____	_____
3. Elle sourira	_____	_____
4. Nous avions pâli	_____	_____
5. Vous aviez prédit	_____	_____
6. Protégeons	_____	_____
7. Que vous exerciez	_____	_____
8. Ils surprirent	_____	_____
9. J'aurais voulu	_____	_____
10. Tu rallierais	_____	_____
11. Qu'elle ait ravagé	_____	_____
12. Ravi	_____	_____
13. Avoir rangé	_____	_____
14. Percevant	_____	_____
15. Réduire	_____	_____

Activité 37

À quel mode et à quel temps est chacun de ces verbes?

	Mode	Temps
1. J'ai édifié		
2. Tu eus aimé		
3. Elle fit		
4. Nous aurons joint		
5. Vous aviez imposé		
6. Ils ont immobilisé		
7. Je laisserai		
8. Lançant		
9. Lavons		
10. Gâcher		
11. Tu aurais frappé		
12. Elle fréquentait		
13. Nous frôlerions		
14. Vous frottiez		
15. Ils auraient frémi		

Activité 38

Dis à quel temps simple est chacun de ces verbes et écris ce verbe au temps composé correspondant.

	Temps simple	Temps composé
1. Il éblouissait		
2. Tu dureras		
3. Je prends		
4. J'appréciai		
5. Nous verrions		

	Temps simple	**Temps composé**
6. Que vous reteniez	_____	_____
7. Vantant	_____	_____
8. Sentir	_____	_____
9. Regarde	_____	_____
10. Ils dormaient	_____	_____
11. Vous fausserez	_____	_____
12. Nous aimons	_____	_____
13. Elle garde	_____	_____
14. Béni	_____	_____
15. Allongeant	_____	_____

Activité 39

Dis à quel temps simple est chacun de ces verbes et écris ce verbe au temps composé correspondant.

	Temps simple	**Temps composé**
1. Attendons	_____	_____
2. Vernir	_____	_____
3. Confiant	_____	_____
4. Je gagnais	_____	_____
5. Tu gênerais	_____	_____
6. Elle dira	_____	_____
7. Nous lûmes	_____	_____
8. Que vous fraudiez	_____	_____
9. Ils hurlent	_____	_____
10. Je pèse	_____	_____
11. Tu emplissais	_____	_____
12. Elle empêchera	_____	_____
13. Vous enchaîneriez	_____	_____

	Temps simple	Temps composé
14. Que nous cuisinions	_____	_____
15. Elles bâtirent	_____	_____

Activité 40

Dis à quel temps composé est le verbe et écris ce verbe au temps simple correspondant.

	Temps composé	Temps simple
1. J'ai étudié	_____	_____
2. Tu avais mis	_____	_____
3. Elle aura perdu	_____	_____
4. Nous aurions prévu	_____	_____
5. Vous eûtes admis	_____	_____
6. Qu'ils aient pensé	_____	_____
7. Avoir conclu	_____	_____
8. Ayant paru	_____	_____
9. Tu aurais ramassé	_____	_____
10. Ils ont pâli	_____	_____
11. Vous aviez ri	_____	_____
12. Nous aurons abandonné	_____	_____
13. Elle eut accepté	_____	_____
14. Qu'elle ait refusé	_____	_____
15. Étant mort	_____	_____

Dis à quel temps composé est le verbe et écris ce verbe au temps simple correspondant.

	Temps composé	Temps simple
1. Elle est partie	_____	_____
2. Tu auras roulé	_____	_____
3. J'aurais pris	_____	_____
4. Nous avions reçu	_____	_____
5. Ils eurent acheté	_____	_____
6. Ayant disparu	_____	_____
7. Que nous ayons lavé	_____	_____
8. Avoir coupé	_____	_____
9. Elles ont traversé	_____	_____
10. Vous aviez vu	_____	_____
11. Tu es né	_____	_____
12. Nous aurons veillé	_____	_____
13. Vous auriez flotté	_____	_____
14. J'eus défendu	_____	_____
15. Tu aurais été	_____	_____

Écris chacun de ces verbes à l'indicatif présent, à la même personne.

1. Je voyais _____

2. Tu bougeras _____

3. Elle recevrait _____

4. Nous avions compris _____

5. Vous aurez omis_____

6. Qu'ils doivent_____

7. Je marchai _____

8. Tu aurais montré _____

9. Il mordit _____

10. Nous vendions _____

11. Vous aimerez _____

12. Ils ont cru _____

13. Que j'aie essayé _____

14. Tu aurais refusé _____

15. Nous ravirons _____

Activité 43

Écris chacun des verbes conjugués à l'indicatif présent, à la même personne.

1. Tu avais _____ à peine douze ans à cette époque.

2. J'habiterai _____ dans ce quartier.

3. Les filles ont attendu _____ l'ouverture du restaurant.

4. Nous irions _____ au cinéma.

5. La neige tombait _____ doucement sur la ville.

6. On m'a dit _____ que tu étais mariée _____.

7. Le train de banlieue est encore arrivé _____ en retard.

8. Ils traversèrent _____ la rivière à gué.

9. Tous ses souvenirs lui revinrent _____.

10. J'aurais tant aimé _____ les revoir.

11. Quand pensiez-vous _____ à celle qui vous avait tant donné _____ ?

12. L'ambition te conduira _____ loin.

13. Je voudrais _____ te parler.

14. Elle sait que tu es revenu _____.

15. Il se blessa _____ au bras droit.

71

Activité 44

Écris chacun des verbes au passé composé, à la même personne.

1. Je mords _____
2. Tu déclinais _____
3. Elle fera _____
4. Nous produisions _____
5. Vous auriez dit _____
6. Ils crièrent _____
7. Nous admettions _____
8. Je fus _____
9. Tu apprendrais _____
10. Qu'elle se défende _____
11. Nous tiendrions _____
12. Ils auraient évolué _____
13. Que je sache _____
14. Tu avais pu _____
15. Je mangeai _____

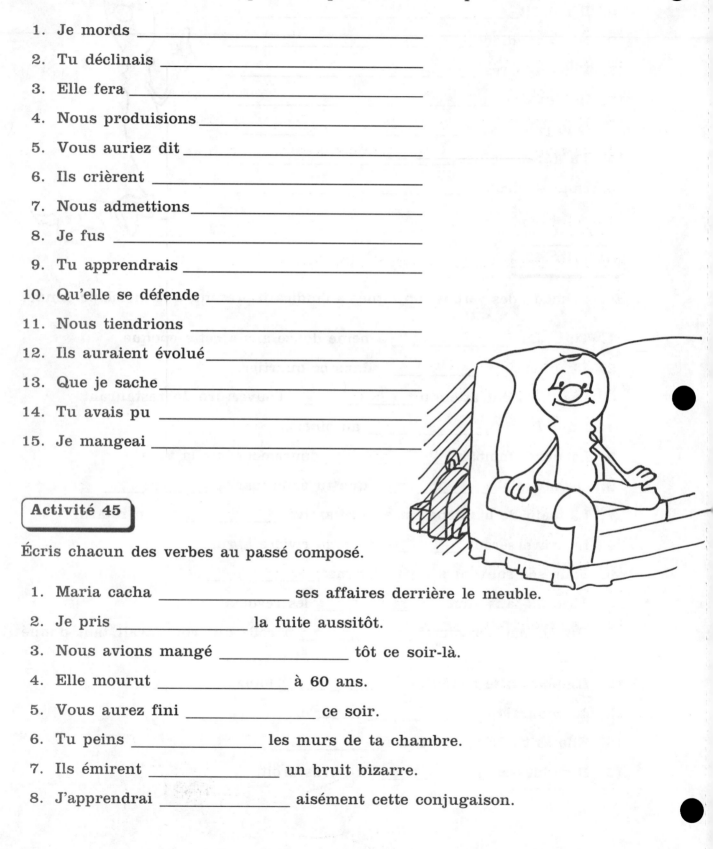

Activité 45

Écris chacun des verbes au passé composé.

1. Maria cacha _____ ses affaires derrière le meuble.
2. Je pris _____ la fuite aussitôt.
3. Nous avions mangé _____ tôt ce soir-là.
4. Elle mourut _____ à 60 ans.
5. Vous aurez fini _____ ce soir.
6. Tu peins _____ les murs de ta chambre.
7. Ils émirent _____ un bruit bizarre.
8. J'apprendrai _____ aisément cette conjugaison.

72

9. Tu aurais pu _____ venir nous aider.

10. Encore une fois, elle découragera _____ toutes les bonnes volontés.

11. Nous envahissons _____ votre maison.

12. Vous perdiez _____ tout.

13. Alexandra avait juré _____ avoir dit toute la vérité.

14. Patricia et Lucie viennent _____ chez moi.

15. Je lave _____ parfois la voiture de mon père.

Activité 46

Écris les verbes à l'imparfait de l'indicatif.

1. Il a jailli _____

2. Tu lesteras _____

3. J'imagine _____

4. Nous absorberons _____

5. Vous aviez langui _____

6. Ils jurèrent _____

7. J'aurais jeûné _____

8. Tu blêmirais _____

9. Elle accorda _____

10. Que nous partagions _____

11. Vous auriez compris _____

12. Ils étudieront _____

13. J'avoue _____

14. Tu détruisis _____

15. Il s'emparera _____

Activité 47

Écris les verbes à l'imparfait de l'indicatif.

Anniversaire

Je me souviens _____ que chaque année Mme Durand a invité _____ les amis de sa fille Karina à venir fêter l'anniversaire de cette dernière. En cette occasion, les frères de Karina ont préparé _____ des jeux et ont dressé _____ une longue table à l'extérieur. Au milieu de l'après-midi, quelques amies se joignent _____ à eux et décorent _____ cette table. Ces décorations ajoutées aux fleurs que la mère de Karina dépose _____ sur la table contribuent _____ à créer une atmosphère de fête.

Vers quatre heures, les invités arrivent _____, félicitent _____ Karina, lui offrent _____ un petit cadeau et vont _____ s'amuser avec les jeux préparés par les frères de celle qu'on fête _____. En attendant le souper, on boit _____ des boissons gazeuses et on mange _____ des croustilles même si les Durand mettent _____ leurs invités en garde contre le risque de gâcher le bon repas à venir.

Enfin, au signal, des serveurs bénévoles apportent _____ les mets sur la table autour de laquelle tous prennent _____ place. Chacun mange _____ jusqu'à satiété, prenant quand même la précaution de se garder de l'appétit pour le grand morceau de gâteau qui viendra _____ terminer ce repas.

Activité 48

Écris les verbes au plus-que-parfait de l'indicatif.

1. Je prends _____ le train à 8 h.

2. Virginia ne l'a pas encore eu _____.

3. Tu corrigeras _____ ton travail pour le lendemain.

4. Nous abandonnerions _____ notre projet sans remords.

74

5. Vous proclamez _____ l'ouverture des jeux.

6. Les coussins du divan sont _____ déchirés.

7. La surveillante l'a prévenu _____ du danger.

8. L'épidémie de choléra fait _____ de nombreuses victimes.

9. Ces jeunes ont fait _____ leur première communion ensemble.

10. Ma mère partira _____ en voyage au début de mars.

11. J'ai offert _____ une autre chance au propriétaire.

12. Le drame se produisit _____ la veille de son anniversaire.

13. Pourquoi s'en sert-elle _____?

14. La cloche sonnera _____ pour annoncer le début des cours.

15. Maryse et moi avons entendu _____ des pas à l'extérieur.

Activité 49

Écris ces verbes au plus-que-parfait de l'indicatif.

1. Je sers_____

2. Tu t'absentais_____

3. Elle a eu _____

4. Nous serons _____

5. Vous auriez dit_____

6. Qu'ils fassent_____

7. J'ouvris _____

8. Tu portais _____

9. Il craint _____

10. Nous avons placé_____

11. Vous aurez rassemblé _____

12. Elles lèveraient _____

13. Que nous sauvions _____

14. Je meurs _____

15. Tu cloueras _____

Activité 50

Écris au futur simple chacun de ces verbes.

1. J'avale _____

2. Tu gardais _____

3. Il attendrait _____

4. Nous avions cru _____

5. Vous traverseriez _____

6. Qu'elles conseillent _____

7. Je suis _____

8. Tu plias _____

9. Il a eu _____

10. Tu irais _____

11. Qu'il soit _____

12. Vous aviez plongé _____

13. Nous essayons _____

14. Elle rejette _____

15. Tu as décrit _____

Activité 51

Écris les verbes au futur simple.

Le Ballon (suite)

En regardant dans le hangar par la fenêtre qu'il venait _____ de faire,
Paul s'étonna _____ de voir que le grand-père était _____
attaché au cou par une chaîne fixée au plafond. En plus, une odeur pestilentielle se
dégageait _____ de la pièce. Le sol était _____ couvert de crasse.
Des croûtons traînaient _____ dans tous les coins. Il n'y avait
_____ aucun meuble.

— Veux-tu _____ sortir? demanda-t-il _____ au vieillard.

— Sortir? répéta _____ le grand-père, le regard fou.

— Je reviens _____! dit _____ le petit garçon.

Paul retourna _____ chez lui et il dut _____ consacrer
plusieurs heures à persuader son père qu'un vieil homme était _____
enfermé dans le hangar de la voisine.

Inspiré du récit *Le Ballon rouge*, Pierre Bellemare

Activité 52

Écris les verbes au futur antérieur.

1. Je dérange_____
2. Tu as réalisé _____
3. Il était _____
4. Il crie_____
5. Tu rates _____
6. Ils consacreraient_____
7. Vous fuirez _____
8. Nous avions rayé_____

9. Elle baissait _____

10. Tu courras _____

11. Je posai _____

12. Elles crurent _____

13. Nous aurions vieilli _____

14. Tu saliras _____

15. Je découvris _____

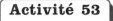

Activité 53

Écris les verbes au passé simple.

Le Ballon (fin)

Le récit de Paul était _____ si convaincant que son père a fini _____ par le croire et il l'a suivi _____ jusqu'au hangar de la voisine en prenant de multiples précautions pour ne pas être pris par cette dernière. À la vue du pauvre homme enchaîné qui n'avait _____ plus toute sa tête, il a amené _____ avec lui son fils au poste de police. Leurs déclarations ont fait _____ que Edma Smith a été _____ arrêtée et elle a dû _____ affronter les juges.

C'est _____ ainsi qu'on a appris _____ que Louis Mann, un homme simplet, avait été engagé _____ comme jardinier chez Mme Smith en 1948 et que, depuis 25 ans, la riche voisine de Paul le retenait _____ prisonnier. Elle ne lui donnait _____ à manger que du pain. Elle le tenait _____ enchaîné pour éviter qu'il fuie _____. Pourquoi? Grâce à ce procédé, elle a pu _____ encaisser à sa place son chèque de pension chaque mois durant toutes ces années. Quand le juge Cornell lui a demandé _____ si elle regrettait _____ son geste, elle lui a répondu _____ qu'elle avait fait _____ tout cela pour protéger Mann des personnes qui auraient voulu _____ profiter de sa bêtise.

Inspiré du récit *Le Ballon rouge*, Pierre Bellemare

Activité 54

Écris les verbes au passé simple.

1. Je reçois _____

2. Tu as _____

3. Il était _____

4. Nous offrirons _____

5. Vous avez découvert _____

6. Elles avaient su _____

7. Je prendrais _____

8. Tu aurais fini _____

9. Qu'elle suggère _____

10. Nous écouterons _____

11. Vous aurez vu _____

12. Ils ont écrit _____

13. Je déduisais _____

14. Tu doutes _____

15. Elle conseillera _____

Activité 55

Écris les verbes suivants au conditionnel présent.

1. Je chasse _____

2. Tu contrariais _____

3. Elle contera _____

4. Nous avons cousu _____

5. Vous aurez trompé _____

6. Elles auraient ravi _____

7. Que j'aie _____

8. Tu es _____

9. Il fit _____

10. Nous continuerons _____

11. Vous avez copié _____

12. Ils tiennent _____

13. Je convertirai_____

14. Tu louas _____

15. Il coffrait _____

ACTIVITÉ 56

Activité 56

Écris les verbes au conditionnel présent.

┌─ **Une occasion unique** ─┐

Ann Porter est _____ comptable pour la firme Conroy depuis plus de vingt ans. Depuis le décès de ses parents, elle a toujours vécu _____ seule dans un petit appartement parfaitement rangé mais sans charme et déprimant. Toute sa vie, elle a rêvé _____ au jour où elle pourra _____ acheter la maison idéale: deux étages, grande, bien aérée et surtout, à l'écart de la ville. Pour cette femme solitaire, cette maison représente _____ le but de toutes ses économies. Elle épargne _____ sou par sou depuis près de vingt ans. Elle ne souffre _____ pas de toutes les privations qu'elle s'impose _____ tant ses soirées sont _____ occupées à décorer en pensée chacune des pièces de la maison qu'elle finira _____ bien par trouver. Il faut _____ dire que, depuis trois mois, Mlle Porter possède _____ la somme nécessaire et qu'il ne lui reste _____ qu'à trouver la maison de ses rêves.

Inutile de mentionner que Ann lit _____ attentivement toutes les annonces de maisons à vendre publiées dans les journaux qui paraissent _____ à Horntown et dans la région. En plus, les agents immobiliers commencent _____ à très bien connaître la silhouette de la petite femme volontaire puisqu'elle passe _____ chaque semaine à leurs bureaux pour consulter la liste des maisons à vendre.

Activité 57

Écris les verbes suivants au conditionnel présent.

1. Je crois _____

2. Tu prenais _____

3. Il a soutenu _____

4. Nous finirons _____

5. Vous mourez _____

6. Elles espérèrent _____

7. Je marchai _____

8. Tu allais _____

9. Elle perçoit _____

10. Nous avons atteint _____

11. Vous aurez signalé _____

12. Elles comptent _____

13. Elles appuyaient _____

14. Vous punirez _____

15. Nous avons conçu _____

Activité 58

Écris les verbes suivants à l'impératif présent à la 2ᵉ personne du singulier.

1. J'aimais _____

2. Tu comprendras _____

3. Elle amassa _____

4. Nous irons _____

5. Vous craignez _____

6. Ils brûlèrent _____

7. Je chanterais _____

8. Tu avais charmé _____

9. Il brisa _____

10. Nous conduisions _____

11. Que vous teniez _____

12. Elles cousent _____

13. Il a fini _____

14. Tu criais _____

15. J'ai cueilli _____

Activité 59

Écris les verbes à l'impératif présent.

1. Nous ne mangeons _____ que de la nourriture saine.

2. Vous cultivez _____ ces terres.

3. Tu fais _____ attention.

4. Tu entreprendras _____ ce travail.

5. Nous conduisions _____ prudemment.

6. Vous avez dirigé _____ le jeu.

7. Tu t'inscris _____ à cette activité.

8. Nous discutions _____ de sport.

9. Vous avez apprécié _____ ce beau geste.

10. Tu pardonnais _____ à ta voisine.

11. Nous essayons _____ encore de comprendre.

12. Vous achèterez _____ ce chien.

13. Tu fuyais _____ le danger.

14. Nous jouons _____ aux cartes.

15. Vous avez réfléchi _____ avant d'agir.

Activité 60

Écris les verbes au subjonctif présent.

1. On veut que tu _____ (écrire) mieux.

2. Vous aimeriez que vos enfants _____ (aller) avec vous.

3. Je souhaite surtout que tout _____ (finir) bien.

4. Nous espérons que la situation _____ (revenir) à la normale.

5. Pour que mon frère _____ (accepter), il faudra une meilleure raison.

6. Nos moniteurs travaillent beaucoup pour que nous nous _____ (sentir) à l'aise.

7. Bien que son salaire _____ (être) peu élevé, Hélène vit bien.

8. Comment voulez-vous qu'elles _____ (avoir) le goût de lire?

9. Pour être heureuse, il faut qu'elle _____ (aimer) ce qu'elle fait.

10. Il est nécessaire qu'il _____ (faire) noir pour développer ce film.

11. La dame exige que nous _____ (emprunter) une autre sortie.

12. Il importe que tous ces gens _____ (réagir) rapidement.

13. Les autorités craignent que vous _____ (exagérer).

14. On désire que les adolescents _____ (comprendre) nos directives.

15. Il est bon qu'enfin Anne-Marie _____ (avoir) un peu d'argent de poche.

Activité 61

Écris les verbes au subjonctif présent.

1. Je contiens _____

2. Tu parlais _____

3. Il a eu _____

4. Nous serons _____

5. Vous iriez _____

6. Ils meurent _____

7. Je boirai _____

8. Tu avais vu _____

9. Il paraissait _____

10. Nous aurons lu _____

11. Vous modifiez _____

12. Elles publièrent _____

13. J'avais joué _____

14. Tu aurais étudié _____

15. Il partit _____

Activité 62

Écris chacun des verbes à l'infinitif présent et à l'infinitif passé.

	Infinitif présent	Infinitif passé
1. Je fumerai	_____	_____
2. Tu sentais	_____	_____
3. Elle comprend	_____	_____
4. Nous avons servi	_____	_____
5. Vous conduiriez	_____	_____
6. Ils offrent	_____	_____
7. J'ai admis	_____	_____
8. Tu avais prédit	_____	_____
9. Il consentira	_____	_____
10. Que nous venions	_____	_____
11. Tu eus reçu	_____	_____
12. Elle accepta	_____	_____
13. Vous auriez frémi	_____	_____
14. Ils gémirent	_____	_____
15. Je naissais	_____	_____

Activité 63

Écris chacun des verbes au participe passé.

1. J'ouvrais _____
2. Tu as offert _____
3. Elle recevra _____
4. Vous prenez _____
5. Que je dise _____
6. Nous souffrirons _____
7. Qu'elle comprenne _____
8. Ils rejettent _____

9. Il pleut _____
10. Je fuis _____
11. Tu apparaîtras _____
12. Elle constata _____
13. Nous avions fini _____
14. Vous auriez monté _____
15. Ils perçoivent _____

Activité 64

Écris chacun des verbes au participe présent.

1. En _____ (tourner) le coin, je vis le parc.

2. Il regardait son amie _____ (nager) vers la rive.

3. Pour y arriver, le menuisier dut faire attention en _____ (scier) la planche.

4. Tout en _____ (offrir) son aide, elle gardait le sourire.

5. C'est en _____ (chercher) un vieux meuble qu'il a découvert le trésor.

6. _____ (faire) l'imbécile, elle ne pouvait qu'avoir une sanction.

7. Réma, _____ (établir) l'horaire de travail, ne pouvait tenir compte de la demande.

8. En _____ (fuir) les lieux de l'accident, ils se sont rendus coupables d'un crime.

9. _____ (parvenir) à peine à nourrir ses enfants, la pauvre femme ne pouvait payer.

10. _____ (pratiquer) ce sport depuis dix ans, Raymond n'accepte les conseils de personne.

11. C'est en _____ (écrire) au ministre que Lortie a obtenu satisfaction.

12. Annie s'occupait en _____ (peindre) des paysages très jolis.

13. _____ (revenir) d'une longue journée de travail, les deux femmes n'avaient pas le goût de se disputer.

14. En _____ (remarquer) l'hésitation de Cécile, Louise se douta qu'elle mentait.

15. C'est en _____ (négliger) ses devoirs qu'il peut avoir tant de loisirs.

Activité 65

Écris chacun des verbes au participe passé.

1. Les trésors _____ (découvrir) dans cette zone ont une grande valeur.

2. _____ (surprendre) par l'attaque, le policier ne réagit pas.

3. Mauricio, _____ (suspendre) par les bras, cherchait un point d'appui pour ses pieds.

4. La journée _____ (finir), on aime se retrouver autour d'une table pour un bon repas.

5. _____ (punir) par leurs parents, Martine et André ne peuvent sortir.

6. Je veux que tous les articles _____ (prendre) sur l'étagère soient rapportés.

7. On s'attendait à ce que des vêtements _____ (vendre) à si bas prix disparaissent rapidement.

8. Les objectifs _____ (expliquer) par l'institutrice sont réalisables.

9. Durant le cours de français, les textes _____ (lire) doivent être expliqués.

10. Il fallut tout de même couper les arbres _____ (mourir).

11. Les soldats _____ (vaincre) doivent déposer leurs armes.

12. Ses amies lui demandèrent de raconter les aventures _____ (vivre) en Amazonie.

13. _____ (trahir) par Michel, Angela ne savait plus à qui faire confiance.

14. Classez tous les documents _____ (déposer) sur votre bureau.

15. Les gens _____ (mordre) par ce chien doivent être soignés.

Activité 66

Écris ces verbes au participe présent et au participe passé.

	Participe présent	Participe passé
1. Je cloue		
2. Tu nais		
3. Il connaissait		
4. Nous fuirons		
5. Vous salissez		
6. Ils ont compris		
7. J'avais souffert		
8. Prétendre		
9. Tu boiras		
10. Elle a averti		
11. Nous bâtissons		
12. Que vous baissiez		
13. Ils occuperaient		
14. Avoir perdu		
15. Ralentis		

Activité 67

Donne le mode et le temps de chaque verbe.

	Mode	Temps
1. Je bondissais		
2. Tu attraperas		
3. Qu'elle consulte		
4. Nous avons poursuivi		

5. Vous auriez préféré _____ _____

6. Ils parlèrent _____ _____

7. Croyant _____ _____

8. Courir _____ _____

9. Avoir campé _____ _____

10. Cherche _____ _____

11. Chanté _____ _____

12. Je danserais _____ _____

13. Que tu cueilles _____ _____

14. Il aura dit _____ _____

15. Que nous ayons trouvé _____ _____

Activité 68

Donne le mode et le temps de chaque verbe.

	Mode	**Temps**
1. Je hais	_____	_____
2. Tu gaspillas	_____	_____
3. Elle nuirait	_____	_____
4. Nous avions répondu	_____	_____
5. Vous auriez dû	_____	_____
6. Ils ont huilé	_____	_____
7. Sentant	_____	_____
8. Je partirai	_____	_____
9. Ayant jugé	_____	_____
10. Que tu laves	_____	_____
11. Rester	_____	_____
12. Il constate	_____	_____
13. Nous louons	_____	_____
14. Vous aurez osé	_____	_____
15. Ils prirent	_____	_____

Chapitre troisième

Les personnes

Les personnes

Ce troisième chapitre est consacré aux caractéristiques particulières des différentes personnes du verbe. Il est essentiel que l'écolier et l'écolière établissent des distinctions entre les terminaisons fixes et les terminaisons variables. Aussi longtemps qu'on n'aura pas appris à tenir compte du rôle du groupe, du mode et du temps dans l'établissement de la terminaison du verbe, on ne maîtrisera évidemment pas le verbe.

C'est pourquoi on retrouvera dans les pages suivantes de nombreux exercices grâce auxquels l'écolier et l'écolière pourront mettre en pratique les connaissances qu'ils se seront données sur les trois personnes du verbe aux différents modes et temps. La bonne acquisition de ce dernier mécanisme du verbe donnera à l'élève la juste impression de bien maîtriser tout le verbe.

La première personne

CONNAISSANCES

La 1re personne désigne toujours la personne QUI PARLE. Quand cette personne est seule, on dit JE, ME ou MOI. Lorsqu'il s'agit de deux ou plusieurs personnes qui parlent, on dit NOUS.

- **Les terminaisons fixes**

  À la 1re personne, il existe des terminaisons fixes (qui ne changent pas) qui sont valides pour les verbes de tous les groupes à certains temps.

  - **L'indicatif imparfait**
    1re personne du singulier: AIS   (Je parlais)
    1re personne du pluriel: IONS   (Nous parlions)

  - **Le futur simple**
    1re personne du singulier: RAI   (Je parlerai)
    1re personne du pluriel: RONS   (Nous parlerons)

- **Le conditionnel présent**
  1re personne du singulier: **RAIS**   (Je parlerais)
  1re personne du pluriel: **RIONS**   (Nous parlerions)

- **Le subjonctif présent**
  1re personne du singulier: **E**   (Que je parle)
  1re personne du pluriel: **IONS**   (Que nous parlions)

- **L'impératif présent**
  1re personne du pluriel: **ONS**   (Parlons)

- **Les terminaisons variables**

  À la 1re personne, certaines terminaisons sont variables (changent) selon le groupe du verbe.

  - **Les verbes en ER (1er groupe)**
    - **L'indicatif présent**
      1re personne du singulier: **E**   (J'aime)
      1re personne du pluriel: **ONS**   (Nous aimons)

    - **Le passé simple**
      1re personne du singulier: **AI**   (J'aimai)
      1re personne du pluriel: **ÂMES**   (Nous aimâmes)

  - **Les verbes en IR qui font ISSAIS à l'imparfait de l'indicatif (2e groupe)**
    - **L'indicatif présent**
      1re personne du singulier: **S**   (Je finis)
      1re personne du pluriel: **ONS**   (Nous finissons)

    - **Le passé simple**
      1re personne du singulier: **IS**   (Je finis)
      1re personne du pluriel: **ÎMES**   (Nous finîmes)

  - **Les verbes en ir, oir, endre, etc. (3e groupe)**
    - **L'indicatif présent**
      1re personne du singulier: **S** ou **X**   (Je prends, je peux)
      1re personne du pluriel: **ONS**   (Nous prenons, nous pouvons)

    - **Le passé simple**
      1re personne du singulier:
      IS, US et INS   (Je pris, je pus, je tins)
      1re personne du pluriel:
      ÎMES, ÛMES et ÎNMES   (Nous prîmes, nous pûmes, nous tînmes)

Identifie lesquels de ces verbes écrits à la 1re personne du singulier sont à l'indicatif imparfait, au conditionnel présent et au futur simple.

	Indicatif imparfait	Conditionnel présent	Futur simple
1. Je prenais			
2. J'obtiendrai			
3. Je pointais			
4. Je prendrais			
5. Je raserai			
6. J'aimerais			
7. Je voulais			
8. Je craignais			
9. Je tondais			
10. Je servirais			
11. Je voudrai			
12. Je préférais			
13. J'examinerai			
14. Je coucherais			
15. Je lèverai			

Identifie lesquels de ces verbes écrits à la 1re personne du singulier sont à l'indicatif imparfait, au conditionnel présent et au futur simple.

	Indicatif imparfait	Conditionnel présent	Futur simple
1. J'écrivais			
2. Je peindrais			
3. Je jouissais			
4. J'écrirai			

	Indicatif imparfait	Conditionnel présent	Futur simple
5. Je mangeais			
6. J'étudierai			
7. J'évacuais			
8. Je tiendrais			
9. Je peignerais			
10. J'écrirais			
11. Je peignerai			
12. Je lisais			
13. Je tenais			
14. Je chercherai			
15. J'importunais			

Activité 71

Identifie lesquels de ces verbes écrits à la 1re personne du pluriel sont à l'indicatif imparfait, au conditionnel présent et au futur simple.

	Indicatif imparfait	Conditionnel présent	Futur simple
1. Nous allongeons			
2. Nous permettrons			
3. Nous bernerions			
4. Nous amasserions			
5. Nous envisagions			
6. Nous conseillions			
7. Nous achèterons			
8. Nous conseillerons			
9. Nous balancions			
10. Nous amassions			
11. Nous balancerions			

	Indicatif imparfait	Conditionnel présent	Futur simple
12. Nous conseillerions			
13. Nous permettions			
14. Nous soumettrons			
15. Nous soumettrions			

Activité 72

Identifie lesquels de ces verbes écrits à la 1re personne du pluriel sont à l'indicatif imparfait, au conditionnel présent et au futur simple.

	Indicatif imparfait	Conditionnel présent	Futur simple
1. Nous fuirons			
2. Nous gagnions			
3. Nous emporterions			
4. Nous finissions			
5. Nous prendrons			
6. Nous conserverions			
7. Nous mourrons			
8. Nous dormions			
9. Nous laverions			
10. Nous cousions			
11. Nous agacerons			
12. Nous rougirions			
13. Nous rougissions			
14. Nous réparerons			
15. Nous séparions			

Écris ces verbes à la 1re personne du singulier et à la 1re personne du pluriel du subjonctif présent.

	1re personne du singulier	1re personne du pluriel
1. Prendre		
2. Courir		
3. Semer		
4. Penser		
5. Coudre		
6. Bénir		
7. Voir		
8. Recevoir		
9. Ralentir		
10. Jouer		
11. Regarder		
12. Paraître		
13. Sentir		
14. Pouvoir		
15. Gêner		

Écris ces verbes à la 1re personne du singulier et à la 1re personne du pluriel de l'imparfait de l'indicatif.

	1re personne du singulier	1re personne du pluriel
1. Admirer		
2. Gémir		
3. Revenir		
4. Recevoir		
5. Boire		

	1re personne du singulier	1re personne du pluriel
6. Lire		
7. Venir		
8. Regarder		
9. Lancer		
10. Clouer		
11. Étudier		
12. Disparaître		
13. Craindre		
14. Appuyer		
15. Jeter		

Activité 75

Écris à la 1re personne du singulier et à la 1re personne du pluriel du futur simple chacun de ces verbes.

	1re personne du singulier	1re personne du pluriel
1. Composer		
2. Rire		
3. Comprendre		
4. Disposer		
5. Dire		
6. Plier		
7. Taire		
8. Décevoir		
9. Apprendre		
10. Blesser		
11. Asseoir		
12. Réagir		
13. Arrêter		

	1re personne du singulier	1re personne du pluriel

	1re personne du singulier	**1re personne du pluriel**
14. Trahir		
15. Lâcher		

Activité 76

Écris chacun de ces verbes à la 1re personne du singulier et à la 1re personne du pluriel du conditionnel présent.

	1re personne du singulier	**1re personne du pluriel**
1. Placer		
2. Gravir		
3. Loger		
4. Apparaître		
5. Vernir		
6. Ranger		
7. Consentir		
8. Surprendre		
9. Recevoir		
10. Signer		
11. Croire		
12. Digérer		
13. Remplir		
14. Allumer		
15. Ternir		

Activité 77

Classe ces verbes selon leur mode, leur temps et leur groupe.

Je prenais	Je hacherais	Je planterai
Je dépasserai	Que je tienne	Je finissais
Que je vienne	Que je pousse	Je signalerais
Je ravirais	Je verrais	Je prêtais
Je décevrai	Je saurai	J'avertirai
Je poserai	J'estimais	Je connaissais

Ind. imparfait (1er groupe)	Ind. imparfait (2e groupe)	Ind. imparfait (3e groupe)
_____	_____	_____
_____	_____	_____

Cond. présent (1er groupe)	Cond. présent (2e groupe)	Cond. présent (3e groupe)
_____	_____	_____
_____	_____	_____

Futur simple (1er groupe)	Futur simple (2e groupe)	Futur simple (3e groupe)
_____	_____	_____
_____	_____	_____

Subj. présent (1er groupe)	Subj. présent (2e groupe)	Subj. présent (3e groupe)
_____	_____	_____
_____	_____	_____

Classe ces verbes selon leur mode, leur temps et leur groupe.

Nous avancions
Nous garderons
Nous ternirions
Nous étudierions
Nous finirons
Nous agacerions
Nous féliciterions
Nous salissions
Nous prendrions

Que nous sachions
Que nous portions
Que nous bondissions
Nous réagissions
Nous cousions
Nous mettrions
Nous admirions
Nous combattions
Nous lancerons

Nous portions
Nous connaissions
Nous bénirons
Nous saurons
Nous pourrons
Que nous cassions
Que nous garnissions
Que nous disparaissions

Ind. imparfait (1er groupe)	Ind. imparfait (2e groupe)	Ind. imparfait (3e groupe)
_____	_____	_____
_____	_____	_____

Cond. présent (1er groupe)	Cond. présent (2e groupe)	Cond. présent (3e groupe)
_____	_____	_____
_____	_____	_____

Futur simple (1er groupe)	Futur simple (2e groupe)	Futur simple (3e groupe)
_____	_____	_____
_____	_____	_____

Subj. présent (1er groupe)	Subj. présent (2e groupe)	Subj. présent (3e groupe)
_____	_____	_____
_____	_____	_____

Écris les verbes au temps demandé.

1. Je me _____ (demander, ind. futur simple) longtemps ce que je _____ (venir, ind. imparfait) faire à cette soirée.

2. Il fallait que je _____ (déterminer, subj. présent) exactement ce que je ne _____ (faire, ind. imparfait), pas correctement.

3. Chaque jour, je _____ (prendre, cond. présent) un bon bain si je _____ (posséder, ind. imparfait) une baignoire.

4. J'_____ (avertir, ind. futur simple) le garde.

5. Il est nécessaire que je _____ (recevoir, subj. présent) des soins.

6. À cette époque, je _____ (prendre, ind. imparfait) toutes les précautions auxquelles je _____ (penser, ind. imparfait).

7. Nous _____ (imposer, cond. présent) des conditions plus sévères si nous le _____ (pouvoir, ind. imparfait).

8. J'_____ (aimer, cond. présent) beaucoup qu'on me laisse seul parfois.

9. Demain, je m'_____ (occuper, ind. futur simple) de mes bagages et je les _____ (enregistrer, ind. futur simple).

10. Nous _____ (participer, ind. imparfait) pour la première fois à la compétition.

11. Il faut que je _____ (rejoindre, subj. présent) mes enfants et que je les _____ (nourrir, subj. présent).

12. Nous _____ (avancer, ind. imparfait) dans une région que je _____ (connaître, ind. imparfait) mal.

13. Je _____ (reconnaître, cond. présent) facilement cette personne si je _____ (pouvoir, ind. imparfait) voir sa photo.

14. Nous _____ (finir, ind. futur simple) ce casse-tête après le souper.

15. Je me _____ (sentir, cond. présent) beaucoup mieux si je _____ (posséder, ind. imparfait) de meilleures informations.

Écris les verbes au temps demandé.

1. Nous _____ (envahir, ind. futur simple) la ville quand nous le _____ (juger, ind. futur simple) bon.

2. Je ne _____ (résister, ind. imparfait) jamais à ses demandes quand nous _____ (sortir, ind. imparfait) ensemble.

3. Je les _____ (remercier, ind. futur simple) quand je les _____ (voir, ind. futur simple).

4. Enfin, nous _____ (aborder, ind. imparfait) un domaine que je _____ (connaître, ind. imparfait) mieux.

5. Je _____ (devoir, ind. futur simple) partir, que je le _____ (vouloir, subj. présent) ou pas.

6. J'_____ (étudier, cond. présent) si j'_____ (avoir, ind. imparfait) mes cahiers de notes.

7. Il faut que nous _____ (apprendre, subj. présent) à nous détendre.

8. Je _____ (nager, cond. présent) si je ne _____ (pouvoir, ind. imparfait) faire autrement.

9. Nous _____ (congédier, ind. futur simple) les incompétents et nous _____ (engager, ind. futur simple) des spécialistes.

10. Bien que je _____ (détester, subj. présent) la foule, j'_____ (assister, ind. futur simple) à ce spectacle.

11. Dans cette chasse au trésor, je _____ (détenir, ind. imparfait) des indications que je _____ (croire, ind. imparfait) importantes.

12. Que j'_____ (avoir, subj. présent) des droits, cela ne fait aucun doute.

13. Nous _____ (vivre, cond. présent) mieux si j'_____ (obtenir, ind. imparfait) un emploi mieux payé.

14. Je _____ (rouler, ind. futur simple) ces tonneaux sur le quai et nous _____ (pouvoir, ind. futur simple) alors les embarquer sur le bateau.

15. Mes amis souhaitent que je me _____ (tenir, subj. présent) tranquille.

Lesquels de ces verbes écrits à la 1re personne du singulier le sont à l'indicatif présent et au passé simple?

	Indicatif présent	Passé simple
1. Je doute	_____	_____
2. Je mentis	_____	_____
3. Je lis	_____	_____
4. Je réserve	_____	_____
5. J'admis	_____	_____
6. Je loue	_____	_____
7. J'admets	_____	_____
8. J'écris	_____	_____
9. Je protégeai	_____	_____
10. Je parus	_____	_____
11. Je bus	_____	_____
12. Je contribue	_____	_____
13. Je tins	_____	_____
14. Je crains	_____	_____
15. Je lie	_____	_____
16. J'étourdis	_____	_____
17. Je renie	_____	_____
18. Je remis	_____	_____
19. Je lance	_____	_____
20. Je berçai	_____	_____

Lesquels de ces verbes écrits à la 1re personne du singulier le sont à l'indicatif présent et au passé simple?

	Indicatif présent	Passé simple
1. Je cessai		
2. Je gravis		
3. J'étudie		
4. Je craignis		
5. Je peux		
6. Je soumis		
7. Je porte		
8. Je sens		
9. Je constatai		
10. Je compris		
11. Je veux		
12. J'aperçus		
13. Je conçus		
14. J'ignore		
15. Je cloue		
16. Je bondis		
17. Je planifie		
18. J'essayai		
19. Je note		
20. Je digérai		

Classe les verbes de l'activité 82 selon leur groupe et leur temps.

Ind. présent (1er groupe)	Ind. présent (2e groupe)	Ind. présent (3e groupe)
_____	_____	_____
_____	_____	_____
_____	_____	_____
_____	_____	_____
_____	_____	_____

Passé simple (1er groupe)	Passé simple (2e groupe)	Passé simple (3e groupe)
_____	_____	_____
_____	_____	_____
_____	_____	_____
_____	_____	_____

Activité 84

Dis si le verbe est écrit à la 1re personne du pluriel de l'indicatif présent, de l'impératif présent ou du passé simple.

	Ind. présent	Imp. présent	Passé simple
1. Nous respectâmes	_____	_____	_____
2. Tenons	_____	_____	_____
3. Nous calculons	_____	_____	_____
4. Nous finîmes	_____	_____	_____
5. Nous refusons	_____	_____	_____
6. Nous punîmes	_____	_____	_____

	Ind. présent	Imp. présent	Passé simple
7. Nous pâlissons			
8. Nous abusâmes			
9. Recevons			
10. Nous vîmes			
11. Repoussons			
12. Nous lûmes			
13. Nous craignons			
14. Nous salissons			
15. Écrivons			
16. Nous conclûmes			
17. Nous donnons			
18. Nous apprîmes			
19. Proposons			
20. Nous attachâmes			

Activité 85

Dis si le verbe est écrit à la 1re personne du pluriel de l'indicatif présent, de l'impératif présent ou du passé simple.

	Ind. présent	Imp. présent	Passé simple
1. Peignons			
2. Nous attaquâmes			
3. Nous bloquons			
4. Nous prîmes			
5. Revenons			
6. Nous concédons			
7. Cassons			
8. Nous répartissons			
9. Nous repoussâmes			

	Ind. présent	**Imp. présent**	**Passé simple**
10. Nous conçûmes	_____	_____	_____
11. Nous assoyons	_____	_____	_____
12. Nous portâmes	_____	_____	_____
13. Gravissons	_____	_____	_____
14. Nous sentîmes	_____	_____	_____
15. Rôtissons	_____	_____	_____
16. Nous cousons	_____	_____	_____
17. Voyageons	_____	_____	_____
18. Nous envahissons	_____	_____	_____
19. Nous suivîmes	_____	_____	_____
20. Nous disparûmes	_____	_____	_____

Activité 86

Classe les verbes de l'activité 84 selon leur temps et leur groupe.

Ind. présent (1er groupe)	Ind. présent (2e groupe)	Ind. présent (3e groupe)
_____	_____	_____
_____	_____	_____
_____	_____	_____

Imp. présent (1er groupe)	Imp. présent (2e groupe)	Imp. présent (3e groupe)
_____	_____	_____
_____	_____	_____
_____	_____	_____

Passé simple (1er groupe)	Passé simple (2e groupe)	Passé simple (3e groupe)
_____	_____	_____
_____	_____	_____
_____	_____	_____
_____		

Activité 87

Classe les verbes de l'activité 85 selon leur temps et leur groupe.

Ind. présent (1er groupe)	Ind. présent (2e groupe)	Ind. présent (3e groupe)
_____	_____	_____
_____	_____	_____
_____	_____	_____
_____	_____	_____

Imp. présent (1er groupe)	Imp. présent (2e groupe)	Imp. présent (3e groupe)
_____	_____	_____
_____	_____	_____
_____	_____	_____

Passé simple (1er groupe)	Passé simple (2e groupe)	Passé simple (3e groupe)
_____	_____	_____
_____	_____	_____
_____	_____	_____

Écris ces verbes à la 1re personne du singulier et à la 1re personne du pluriel de l'indicatif présent.

	1re personne du singulier	1re personne du pluriel
1. Reposer		
2. Assombrir		
3. Concevoir		
4. Mentir		
5. Accepter		
6. Revenir		
7. Comprendre		
8. Pouvoir		
9. Appuyer		
10. Munir		
11. Paraître		
12. Croire		
13. Avoir		
14. Être		
15. Aller		

Activité 89

Écris ces verbes à la 1re personne du singulier et à la 1re personne du pluriel de l'indicatif présent.

	1re personne du singulier	1re personne du pluriel
1. Poursuivre		
2. Peindre		
3. Jeter		
4. Polir		
5. Nier		

	1re personne du singulier	1re personne du pluriel

6.	Voir	_____	_____
7.	Brunir	_____	_____
8.	Apparaître	_____	_____
9.	Plier	_____	_____
10.	Trahir	_____	_____
11.	Tendre	_____	_____
12.	Naître	_____	_____
13.	Surprendre	_____	_____
14.	Ternir	_____	_____
15.	Frotter	_____	_____

Activité 90

Écris ces verbes à la 1re personne du pluriel de l'impératif présent.

1.	Croire	_____	9.	Menacer	_____
2.	Dire	_____	10.	Fournir	_____
3.	Viser	_____	11.	Concevoir	_____
4.	Finir	_____	12.	Tracer	_____
5.	Disparaître	_____	13.	Ravir	_____
6.	Coucher	_____	14.	Partir	_____
7.	Bénir	_____	15.	Attribuer	_____
8.	Attendre	_____			

Activité 91

Écris ces verbes à la 1ʳᵉ personne du singulier et à la 1ʳᵉ personne du pluriel du passé simple.

	1ʳᵉ personne du singulier	1ʳᵉ personne du pluriel
1. Apercevoir		
2. Partir		
3. Loger		
4. Lire		
5. Décevoir		
6. Parler		
7. Suivre		
8. Contacter		
9. Devoir		
10. Aimer		
11. Finir		
12. Prendre		
13. Boire		
14. Repousser		
15. Tenir		

Activité 92

Écris ces verbes à la 1ʳᵉ personne du singulier et à la 1ʳᵉ personne du pluriel du passé simple.

	1ʳᵉ personne du singulier	1ʳᵉ personne du pluriel
1. Consoler		
2. Écrire		
3. Conclure		
4. Protéger		
5. Vivre		

	1re personne du singulier	1re personne du pluriel
6. Mordre		
7. Déménager		
8. Craindre		
9. Déceler		
10. Apprendre		
11. Sortir		
12. Tailler		
13. Poursuivre		
14. Contribuer		
15. Sentir		

Activité 93

Écris les verbes au temps demandé.

1. Nous _____ (quitter, passé simple) le restaurant assez tôt.

2. Je _____ (sortir, passé simple) de la monnaie pour payer.

3. J'_____ (apprendre, ind. présent) chaque jour de nouvelles règles que j'_____ (essayer, ind. présent) de retenir.

4. Je _____ (tenter, ind. présent) de bien faire ce que j'_____ (avoir, ind. présent) à faire.

5. _____ (boire, imp. présent, 1re pers. du plur.) à la santé des nouveaux mariés.

6. _____ (prendre, imp. présent, 1re pers. du plur.) le chemin le plus court.

7. Nous _____ (louer, passé simple) la cassette et, ainsi, nous _____ (pouvoir, passé simple) voir le film.

8. Nous _____ (exiger, ind. présent) un meilleur rendement et nous l'_____ (obtenir, ind. présent).

9. Je _____ (voir, ind. présent) bien que je _____ (tenir, ind. présent) là une excellente information.

10. Si je _____ (voyager, ind. présent) encore avec elles, je _____ (vouloir, ind. présent) plus de liberté.

11. Nous _____ (admettre, passé simple) nos erreurs.

12. Je _____ (suivre, passé simple) le guide et j'_____ (écouter, passé simple) ses explications.

13. _____ (laisser, imp. présent, 1re pers. du plur.) -les nous convaincre.

14. Nous _____ (partir, passé simple) très tôt ce matin-là.

15. Je ne _____ (savoir, ind. présent) pas la réponse mais je _____ (pouvoir, ind. présent) essayer de la trouver.

Activité 94

Écris les verbes au temps demandé.

1. J'_____ (admirer, passé simple) le savoir-faire de Lucia et j'_____ (essayer, passé simple) de l'imiter.

2. Nous _____ (entendre, passé simple) un bruit venant de la cave.

3. Je vous _____ (assurer, ind. présent) que je _____ (maîtriser, ind. présent) bien la situation.

4. Nous vous _____ (offrir, ind. présent) tout ce que nous _____ (posséder, ind. présent).

5. _____ (teindre, imp. présent, 1re pers. du plur.) en bleu ces cadres.

6. Je _____ (trahir, passé simple) la parole donnée et je le _____ (regretter, passé simple) par la suite.

7. Nous _____ (abuser, passé simple) de son hospitalité.

8. Je _____ (mentir, ind. présent) parfois et je m'en _____ (excuser, ind. présent).

9. Nous _____ (prendre, ind. présent) nos responsabilités et nous le _____ (faire, ind. présent) de bon cœur.

10. _____ (sortir, imp. présent, 1re pers. du plur.) d'ici et _____ (aller, imp. présent, 1re pers. du plur.) voir ailleurs.

11. Je _____ (sourire, passé simple) à la préposée et je lui _____ (tendre, passé simple) mon billet.

12. Nous _____ (organiser, passé simple) une grande fête.

13. Je _____ (mettre ind. présent) un point d'honneur à être ponctuelle.

14. Nous _____ (jeter, ind. présent) tout ce qui est inutile.

15. _____ (dégager, imp. présent, 1re pers. du plur.) cette sortie de secours.

Activité 95

Identifie le mode, le temps et la personne de chacun des verbes.

	Mode	Temps	Personne
1. J'attendis			
2. Recevons			
3. Nous voyons			
4. Je lus			
5. J'épie			
6. Je conçois			
7. J'exclus			
8. Je louai			
9. Brandissons			
10. Je préférai			
11. Je sentis			
12. Je pars			
13. J'appris			
14. Nous fendîmes			
15. Chantons			

112

Activité 96

Identifie le mode, le temps et la personne de chacun de ces verbes.

	Mode	Temps	Personne
1. Je confiai	_____	_____	_____
2. Nous lûmes	_____	_____	_____
3. Nous prions	_____	_____	_____
4. Je tendis	_____	_____	_____
5. Maintenons	_____	_____	_____
6. J'estime	_____	_____	_____
7. Nous profitâmes	_____	_____	_____
8. Je crains	_____	_____	_____
9. Nous fumons	_____	_____	_____
10. Je promets	_____	_____	_____
11. Nous reçûmes	_____	_____	_____
12. Je sortis	_____	_____	_____
13. Rejetons	_____	_____	_____
14. Je courus	_____	_____	_____
15. Nous vendîmes	_____	_____	_____

Activité 97

Identifie le mode, le temps, la personne et le groupe de chacun des verbes.

1. Je surmontai _____ mon dégoût
   et j'essuyai _____ les dégâts.

2. Poussons _____ plus loin sur
   cette route.

3. Je doute _____ que cela réussisse
   mais essayons _____ tout de
   même.

113

4. Nous tentâmes _____ d'escalader le mur mais nous échouâmes _____ _____ .

5. Je connais _____ la vérité mais je fais _____ comme si je l'ignorais.

6. Je reculai _____ pour me donner un meilleur élan.

7. Tenons _____ bien ce rôle.

8. Je dis _____ toujours ce que je pense _____ .

9. Nous évaluâmes _____ les dégâts et nous fîmes _____ parvenir le montant de nos réclamations à l'assureur.

10. J'écris _____ des lettres et je vérifie _____ toujours mon orthographe avant de les poster.

11. Je me blessai _____ en tombant dans l'escalier.

12. Nous en profitâmes _____ pour quitter les lieux.

13. Je couds _____ maintenant beaucoup mieux.

14. Je ressentis _____ alors une grande fatigue et je dus _____ m'asseoir.

15. Cessons _____ de nous bagarrer et tentons _____ de nous entendre.

La deuxième personne

La 2ᵉ personne indique la personne À QUI l'on parle. Si elle est seule, on utilise habituellement le pronom TU; s'il s'agit de deux ou plusieurs personnes, on emploie le pronom VOUS.

- **Les terminaisons fixes**

  À la 2ᵉ personne, les terminaisons sont fixes (ne changent pas) pour les verbes de tous les groupes aux temps suivants:

  - **L'indicatif imparfait**

    2ᵉ personne du singulier: **AIS**   (Tu posais)
    2ᵉ personne du pluriel: **IEZ**   (Vous posiez)

  - **Le futur simple**

    2ᵉ personne du singulier: **RAS**   (Tu poseras)
    2ᵉ personne du pluriel: **REZ**   (Vous poserez)

  - **Le conditionnel présent**

    2ᵉ personne du singulier: **RAIS**   (Tu poserais)
    2ᵉ personne du pluriel: **RIEZ**   (Vous poseriez)

  - **Le subjonctif présent**

    2ᵉ personne du singulier: **ES**   (Que tu poses)
    2ᵉ personne du pluriel: **IEZ**   (Que vous posiez)

- **Les terminaisons variables**

  À la 2ᵉ personne, les terminaisons sont variables (changent) selon le groupe auquel le verbe appartient aux temps suivants:

  - **Les verbes en ER (1ᵉʳ groupe)**
    - **L'indicatif présent**

      2ᵉ personne du singulier: **ES**   (Tu étudies)
      2ᵉ personne du pluriel: **EZ**   (Vous étudiez)

    - **Le passé simple**

      2ᵉ personne du singulier: **AS**   (Tu étudias)
      2ᵉ personne du pluriel: **ÂTES**   (Vous étudiâtes)

    - **L'impératif présent**

      2ᵉ personne du singulier: **E**   (Étudie)
      2ᵉ personne du pluriel: **EZ**   (Étudiez)

- **Les verbes en IR qui font issais à l'imparfait de l'indicatif** (2e groupe)
  - **L'indicatif présent**
    - 2e personne du singulier: **S** (Tu finis)
    - 2e personne du pluriel: **EZ** (Vous finissez)

  - **Le passé simple**
    - 2e personne du singulier: **IS** (Tu finis)
    - 2e personne du pluriel: **ÎTES** (Vous finîtes)

  - **L'impératif présent**
    - 2e personne du singulier: **S** (Finis)
    - 2e personne du pluriel: **EZ** (Finissez)

- **Les verbes en IR, OIR, ENDRE, etc. (3e groupe)**
  - **L'indicatif présent**
    - 2e personne du singulier: **S** ou **X** (Tu prends, tu peux)
    - 2e personne du pluriel: **EZ** (Vous prenez, vous pouvez)

  - **Le passé simple**
    - 2e personne du singulier: **IS, US, INS** (Tu pris, tu pus, tu tins)
    - 2e personne du pluriel: **ÎTES, ÛTES, ÎNTES** (Vous prîtes, vous pûtes, vous tîntes)

  - **L'impératif présent**
    - 2e personne du singulier: **S** (Prends)
    - 2e personne du pluriel: **EZ** (Prenez)

Activité 98

Identifie lesquels des verbes écrits à la 2e personne du singulier le sont à l'indicatif imparfait, au conditionnel présent et au futur simple.

	Indicatif imparfait	Conditionnel présent	Futur simple
1. Tu prendras			
2. Tu attendrais			
3. Tu écrirais			
4. Tu gravais			
5. Tu accepterais			
6. Tu disais			

	Indicatif imparfait	Conditionnel présent	Futur simple
7. Tu apporteras	_____	_____	_____
8. Tu manifesterais	_____	_____	_____
9. Tu rougirais	_____	_____	_____
10. Tu cousais	_____	_____	_____
11. Tu désigneras	_____	_____	_____
12. Tu achetais	_____	_____	_____
13. Tu cesseras	_____	_____	_____
14. Tu inventais	_____	_____	_____
15. Tu conduirais	_____	_____	_____

Activité 99

Identifie lesquels des verbes écrits à la 2ᵉ personne du singulier le sont à l'indicatif imparfait, au conditionnel présent et au futur simple.

	Indicatif imparfait	Conditionnel présent	Futur simple
1. Tu voulais	_____	_____	_____
2. Tu gagnerais	_____	_____	_____
3. Tu souperas	_____	_____	_____
4. Tu couperais	_____	_____	_____
5. Tu désirais	_____	_____	_____
6. Tu verras	_____	_____	_____
7. Tu buvais	_____	_____	_____
8. Tu subirais	_____	_____	_____
9. Tu poursuivais	_____	_____	_____
10. Tu gêneras	_____	_____	_____
11. Tu consentais	_____	_____	_____
12. Tu imaginerais	_____	_____	_____

	Indicatif imparfait	Conditionnel présent	Futur simple
13. Tu désignais	_____	_____	_____
14. Tu suivras	_____	_____	_____
15. Tu mangerais	_____	_____	_____

Activité 100

Identifie lesquels des verbes écrits à la 2ᵉ personne du pluriel le sont à l'indicatif imparfait, au conditionnel présent et au futur simple.

	Indicatif imparfait	Conditionnel présent	Futur simple
1. Vous sentiez	_____	_____	_____
2. Vous conduirez	_____	_____	_____
3. Vous détruiriez	_____	_____	_____
4. Vous essayerez	_____	_____	_____
5. Vous remarquiez	_____	_____	_____
6. Vous détiendriez	_____	_____	_____
7. Vous direz	_____	_____	_____
8. Vous sortiez	_____	_____	_____
9. Vous béniriez	_____	_____	_____
10. Vous servirez	_____	_____	_____
11. Vous alliez	_____	_____	_____
12. Vous détesteriez	_____	_____	_____
13. Vous prêteriez	_____	_____	_____
14. Vous traiterez	_____	_____	_____
15. Vous teniez	_____	_____	_____

Identifie lesquels des verbes écrits à la 2ᵉ personne du pluriel le sont à l'indicatif imparfait, au conditionnel présent et au futur simple.

	Indicatif imparfait	Conditionnel présent	Futur simple
1. Vous cessiez	_____	_____	_____
2. Vous retournerez	_____	_____	_____
3. Vous joueriez	_____	_____	_____
4. Vous promeniez	_____	_____	_____
5. Vous parlerez	_____	_____	_____
6. Vous prétendriez	_____	_____	_____
7. Vous exagériez	_____	_____	_____
8. Vous menacerez	_____	_____	_____
9. Vous sauriez	_____	_____	_____
10. Vous plaisanteriez	_____	_____	_____
11. Vous lisiez	_____	_____	_____
12. Vous céderiez	_____	_____	_____
13. Vous pourriez	_____	_____	_____
14. Vous monterez	_____	_____	_____
15. Vous tourniez	_____	_____	_____

Écris les verbes suivants à la 2ᵉ personne du singulier et à la 2ᵉ personne du pluriel du subjonctif présent.

	2ᵉ personne du singulier	2ᵉ personne du pluriel
1. Préparer	_____	_____
2. Unir	_____	_____
3. Sortir	_____	_____
4. Attendre	_____	_____

		2ᵉ personne du singulier	2ᵉ personne du pluriel
5.	Convaincre		
6.	Atterrir		
7.	Habiller		
8.	Connaître		
9.	Être		
10.	Avoir		
11.	Aller		
12.	Sentir		
13.	Mettre		
14.	Surveiller		
15.	Plier		

Activité 103

Écris les verbes suivants à la 2ᵉ personne du singulier et à la 2ᵉ personne du pluriel du subjonctif présent.

		2ᵉ personne du singulier	2ᵉ personne du pluriel
1.	Posséder		
2.	Retenir		
3.	Assaillir		
4.	Bondir		
5.	Voir		
6.	Recevoir		
7.	Partir		
8.	Signer		
9.	Conduire		
10.	Lire		
11.	Étaler		
12.	Assombrir		

	2ᵉ personne du singulier	2ᵉ personne du pluriel
13. Commettre		
14. Paraître		
15. Apprendre		

Écris les verbes suivants à la 2ᵉ personne du singulier et à la 2ᵉ personne du pluriel de l'indicatif imparfait.

	2ᵉ personne du singulier	2ᵉ personne du pluriel
1. Durer		
2. Descendre		
3. Démettre		
4. Planter		
5. Bondir		
6. Souffrir		
7. Asseoir		
8. Partir		
9. Conduire		
10. Arriver		
11. Envahir		
12. Décevoir		
13. Nier		
14. Fuir		
15. Attribuer		

Écris les verbes suivants à la 2ᵉ personne du singulier et à la 2ᵉ personne du pluriel du futur simple.

	2ᵉ personne du singulier	2ᵉ personne du pluriel
1. Sortir		
2. Allumer		
3. Fuir		
4. Payer		
5. Faire		
6. Tirer		
7. Rire		
8. Pouvoir		
9. Tuer		
10. Disparaître		
11. Tarder		
12. Tiédir		
13. Taquiner		
14. Soumettre		
15. Prendre		

Écris les verbes suivants à la 2ᵉ personne du singulier et à la 2ᵉ personne du pluriel du conditionnel présent.

	2ᵉ personne du singulier	2ᵉ personne du pluriel
1. Servir		
2. Sauver		
3. Mentir		
4. Joindre		
5. Justifier		

	2ᵉ personne du singulier	2ᵉ personne du pluriel
6. Mourir		
7. Éteindre		
8. Frire		
9. Mener		
10. Filmer		
11. Naître		
12. Songer		
13. Séduire		
14. Haïr		
15. Faire		

Activité 107

Classe ces verbes selon leur mode, leur temps et leur groupe.

Tu colleras
Tu sentais
Tu perdrais
Tu dirigerais
Tu banissais
Que tu viennes
Tu dirais
Que tu poses

Tu mettais
Tu conseilleras
Tu apercevais
Tu uniras
Tu refuserais
Que tu reçoives
Tu pliais
Que tu lises

Tu bondiras
Tu absorberais
Tu grandiras
Que tu finisses
Tu additionnerais
Tu voulais
Tu porteras

Ind. imparfait (1ᵉʳ groupe)	Ind. imparfait (2ᵉ groupe)	Ind. imparfait (3ᵉ groupe)

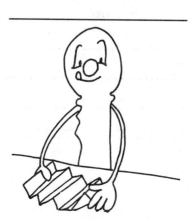

Cond. présent (1er groupe)	Cond. présent (2e groupe)	Cond. présent (3e groupe)
_____	_____	_____
_____	_____	_____
_____	_____	_____
_____	_____	_____

Futur simple (1er groupe)	Futur simple (2e groupe)	Futur simple (3e groupe)
_____	_____	_____
_____	_____	_____
_____	_____	_____

Subj. présent (1er groupe)	Subj. présent (2e groupe)	Subj. présent (3e groupe)
_____	_____	_____
_____	_____	_____
_____	_____	_____

Activité 108

Classe ces verbes selon leur mode, leur temps et leur groupe.

Vous paraîtrez
Vous donniez
Vous terniriez
Que vous sachiez
Vous direz
Vous permettriez
Vous puniriez
Vous subirez

Que vous mettiez
Que vous conseilliez
Vous tâcherez
Vous fournirez
Que vous réagissiez
Vous prêteriez
Vous accosteriez
Vous lèverez

Que vous munissiez
Que vous donniez
Vous recevrez
Vous fournissiez
Vous paraissiez
Vous tendriez
Vous pourriez

Ind. imparfait (1er groupe)	Ind. imparfait (2e groupe)	Ind. imparfait (3e groupe)
_____	_____	_____
_____	_____	_____
_____	_____	_____

Cond. présent (1er groupe)	Cond. présent (2e groupe)	Cond. présent (3e groupe)
_____	_____	_____
_____	_____	_____
_____	_____	_____

Futur simple (1er groupe)	Futur simple (2e groupe)	Futur simple (3e groupe)
_____	_____	_____
_____	_____	_____
_____	_____	_____

Subj. présent (1er groupe)	Subj. présent (2e groupe)	Subj. présent (3e groupe)
_____	_____	_____
_____	_____	_____
_____	_____	_____

Activité 109

Écris les verbes au temps demandé.

1. Tu m'_____ (écrire, cond. présent) si tu en _____ (avoir, ind. imparfait) le temps.

2. Il faut que nous _____ (revenir, subj. présent) vite.

3. Tu _____ (finir, cond. présent) par t'ennuyer si tu ne t'_____ (occuper, ind. imparfait) pas.

4. On ne veut plus que vous _____ (courir, subj. présent) dans les corridors.

5. Si vous le _____ (pouvoir, ind. imparfait), vous _____ (aller, cond. présent) au cinéma.

6. Mes parents croient que tu _____ (travailler, ind. présent) trop et que tu _____ (ruiner, ind. futur simple) ta santé.

7. Tu _____ (polluer, cond. présent) l'eau si tu y _____ (jeter, ind. imparfait) cette huile.

8. Alexandra, tu _____ (mettre, ind. futur simple) un couvert supplémentaire parce que tu _____ (avoir, ind. futur simple) un invité de plus.

9. Je suis certain que tu _____ (mériter, ind. présent) un bien meilleur sort.

10. Tu _____ (sortir, ind. futur simple) le chien et tu le _____ (conduire, ind. futur simple) chez le vétérinaire.

11. Vous _____ (obtenir, cond. présent) de meilleurs résultats si vous _____ (sourire, ind. imparfait) plus souvent.

12. Vous _____ (peindre, ind. futur simple) les murs de votre chambre quand vous _____ (être, ind. futur simple) prêts.

13. Tu t'_____ (installer, cond. présent) sur la véranda si tu le _____ (pouvoir, ind. imparfait).

14. Bien que tu ne _____ (pouvoir, subj. présent) pas le constater, nous avons progressé.

15. On affirme que tu _____ (oublier, ind. présent) trop souvent tes amis.

Activité 110

Écris les verbes au temps demandé.

1. Tu _____ (revenir, ind. futur simple) quand tu _____ (posséder, ind. futur simple) la somme nécessaire.

2. Vous _____ (plier, ind. futur simple) tout le linge déposé sur la chaise.

3. Tu _____ (faire, cond. présent) mieux de te préparer.

4. Si vous _____ (accorder, ind. imparfait) votre confiance plus facilement, vous _____ (obtenir, cond. présent) plus d'aide.

5. Tu _____ (négocier, ind. futur simple) avec tes parents une augmentation de ton allocation.

6. Tu _____ (voir, ind. futur simple), tu _____ (finir, ind. futur simple) bien par comprendre.

7. On dit que tu _____ (emprunter, ind. présent) parfois de l'argent et que tu _____ (oublier, ind. présent) de le remettre.

8. Tu _____ (stimuler, ind. imparfait) tes compagnes mais tu ne _____ (faire, ind. imparfait) pas un geste pour participer.

9. Vous _____ (confier, cond. présent) votre projet à cet architecte si vous le _____ (connaître, ind. imparfait) mieux.

10. Vous _____ (admettre, ind. futur simple) que la situation est grave et que vous _____ (devoir, ind. futur simple) faire quelque chose.

11. Il serait bon que vous _____ (tenir, subj. présent) votre promesse.

12. Si tu lui _____ (ressembler, ind. imparfait), tu _____ (rechercher, cond. présent), toi aussi, l'aventure.

13. Dimanche dernier, tu _____ (vérifier, ind. imparfait) encore tes comptes.

14. Vous _____ (loger, ind. imparfait) à cette époque dans une belle demeure.

15. Tu _____ (recevoir, ind. futur simple) une invitation à laquelle tu _____ (répondre, ind. futur simple).

Activité 111

Lesquels de ces verbes écrits à la 2ᵉ personne du singulier le sont à l'indicatif présent, à l'impératif présent et au passé simple?

	Indicatif présent	Impératif présent	Passé simple
1. Vois	_____	_____	_____
2. Tu vaux	_____	_____	_____
3. Règle	_____	_____	_____
4. Tu vêts	_____	_____	_____
5. Pense	_____	_____	_____
6. Tu voulus	_____	_____	_____
7. Saisis	_____	_____	_____
8. Tu vainquis	_____	_____	_____

	Indicatif présent	Impératif présent	Passé simple
9. Tu vécus	_____	_____	_____
10. Tu terrifies	_____	_____	_____
11. Tire	_____	_____	_____
12. Tu pris	_____	_____	_____
13. Tu consultes	_____	_____	_____
14. Remets	_____	_____	_____
15. Tu viens	_____	_____	_____

Activité 112

Lesquels de ces verbes écrits à la 2ᵉ personne du singulier le sont à l'indicatif présent, à l'impératif présent et au passé simple?

	Indicatif présent	Impératif présent	Passé simple
1. Tu plains	_____	_____	_____
2. Tu finis	_____	_____	_____
3. Protège	_____	_____	_____
4. Tu nages	_____	_____	_____
5. Tu louas	_____	_____	_____
6. Tu lus	_____	_____	_____
7. Tu racontes	_____	_____	_____
8. Rabats	_____	_____	_____
9. Crois	_____	_____	_____
10. Tu écrivis	_____	_____	_____
11. Tu hantes	_____	_____	_____
12. Invente	_____	_____	_____
13. Tu meurs	_____	_____	_____
14. Tu grossis	_____	_____	_____
15. Tu abaissas	_____	_____	_____

Lesquels de ces verbes écrits à la 2ᵉ personne du pluriel le sont à l'indicatif présent, à l'impératif présent et au passé simple?

	Indicatif présent	Impératif présent	Passé simple
1. Garnissez			
2. Vous habitez			
3. Vous fûtes			
4. Vous trouvez			
5. Vous établîtes			
6. Pleurez			
7. Vous hâtez			
8. Vous prîtes			
9. Poussez			
10. Vous gâtâtes			
11. Vous pûtes			
12. Vous fîtes			
13. Riez			
14. Vous frôlâtes			
15. Vous réagissez			

Activité 114

Lesquels de ces verbes écrits à la 2ᵉ personne du pluriel le sont à l'indicatif présent, à l'impératif présent et au passé simple?

	Indicatif présent	Impératif présent	Passé simple
1. Vous eûtes			
2. Vous franchîtes			
3. Mettez			
4. Vous flanchez			

	Indicatif présent	Impératif présent	Passé simple
5. Vous écrivîtes	_____	_____	_____
6. Vous échangeâtes	_____	_____	_____
7. Fournissez	_____	_____	_____
8. Vous conversez	_____	_____	_____
9. Vous exprimâtes	_____	_____	_____
10. Fuyez	_____	_____	_____
11. Vous élargissez	_____	_____	_____
12. Vous sentez	_____	_____	_____
13. Jetez	_____	_____	_____
14. Vous bannissez	_____	_____	_____
15. Vous conclûtes	_____	_____	_____

Activité 115

Classe les verbes de l'activité 112 selon leur groupe, leur mode et leur temps.

Ind. présent (1ᵉʳ groupe)	Ind. présent (2ᵉ groupe)	Ind. présent (3ᵉ groupe)
_____	_____	_____
_____	_____	_____
_____	_____	_____

Imp. présent (1ᵉʳ groupe)	Imp. présent (2ᵉ groupe)	Imp. présent (3ᵉ groupe)
_____	_____	_____
_____	_____	_____
_____	_____	_____

Passé simple (1ᵉʳ groupe)	Passé simple (2ᵉ groupe)	Passé simple (3ᵉ groupe)
_____	_____	_____
_____	_____	_____
_____	_____	_____

Classe les verbes de l'activité 114 selon leur groupe, leur mode et leur temps.

Ind. présent (1er groupe)	Ind. présent (2e groupe)	Ind. présent (3e groupe)
_____	_____	_____
_____	_____	_____
_____	_____	_____

Imp. présent (1er groupe)	Imp. présent (2e groupe)	Imp. présent (3e groupe)
_____	_____	_____
_____	_____	_____
_____	_____	_____

Passé simple (1er groupe)	Passé simple (2e groupe)	Passé simple (3e groupe)
_____	_____	_____
_____	_____	_____
_____	_____	_____

Activité 117

Écris les verbes suivants à la 2e personne du singulier et à la 2e personne du pluriel de l'indicatif présent.

	2e personne du singulier	2e personne du pluriel
1. Dormir	_____	_____
2. Peser	_____	_____
3. Croire	_____	_____
4. Permettre	_____	_____
5. Fuir	_____	_____

	2e personne du singulier	2e personne du pluriel

	2e personne du singulier	**2e personne du pluriel**
6. Trancher		
7. Naître		
8. Inciter		
9. Recevoir		
10. Buter		
11. Boire		
12. Publier		
13. Battre		
14. Coudre		
15. Paraître		

Activité 118

Écris les verbes suivants à la 2e personne du singulier et à la 2e personne du pluriel de l'indicatif présent.

	2e personne du singulier	**2e personne du pluriel**
1. Admettre		
2. Concéder		
3. Percevoir		
4. Gâcher		
5. Disparaître		
6. Élire		
7. Brancher		
8. Écrire		
9. Économiser		
10. Commettre		
11. Renaître		
12. Suivre		
13. Contrôler		

	2ᵉ personne du singulier	2ᵉ personne du pluriel
14. Savoir		
15. Conclure		

Activité 119

Écris les verbes suivants à la 2ᵉ personne du singulier et à la 2ᵉ personne du pluriel de l'impératif présent.

	2ᵉ personne du singulier	2ᵉ personne du pluriel
1. Prendre		
2. Soumettre		
3. Diriger		
4. Finir		
5. Copier		
6. Atteindre		
7. Faire		
8. Avoir		
9. Appeler		
10. Anéantir		
11. Être		
12. Aller		
13. Mugir		
14. Craindre		
15. Souffrir		

Activité 120

Écris les verbes suivants à la 2ᵉ personne du singulier et à la 2ᵉ personne du pluriel de l'impératif présent.

	2ᵉ personne du singulier	2ᵉ personne du pluriel
1. Lire		
2. Asseoir		
3. Parler		
4. Brandir		
5. Concevoir		
6. Abattre		
7. Commettre		
8. Déporter		
9. Éteindre		
10. Élargir		
11. Enterrer		
12. Tuer		
13. Gémir		
14. Vaincre		
15. Souffrir		

Activité 121

Écris les verbes suivants à la 2ᵉ personne du singulier et à la 2ᵉ personne du pluriel du passé simple.

	2ᵉ personne du singulier	2ᵉ personne du pluriel
1. Braver		
2. Tenir		
3. Voir		
4. Border		
5. Combattre		

	2ᵉ personne du singulier	**2ᵉ personne du pluriel**
6. Contenir		
7. Ravir		
8. Combler		
9. Suspendre		
10. Rugir		
11. Éduquer		
12. Remettre		
13. Sentir		
14. Bénir		
15. Vérifier		

Activité 122

Écris les verbes suivants à la 2ᵉ personne du singulier et à la 2ᵉ personne du pluriel du passé simple.

	2ᵉ personne du singulier	**2ᵉ personne du pluriel**
1. Disparaître		
2. Blâmer		
3. Perdre		
4. Agir		
5. Transmettre		
6. Bouger		
7. Affaiblir		
8. Courir		
9. Venir		
10. Étudier		
11. Devoir		
12. Ternir		
13. Pacifier		

| | 2e personne du singulier | 2e personne du pluriel |

2e personne du singulier   **2e personne du pluriel**

14. Comprendre _____   _____

15. Attribuer _____   _____

Activité 123

Écris le verbe au temps demandé.

1. Dans cet autobus, tu _____ (voyager, passé simple) à l'aise.

2. _____ (attaquer, imp. présent, 2e pers. du sing.) le premier.

3. Tu _____ (contribuer, ind. présent) au succès de la campagne quand tu _____ (amasser, ind. présent) des fonds.

4. _____ (prévenir, imp. présent, 2e pers. du plur.)-nous du moindre changement.

5. Vous _____ (voter, passé simple) pour cette femme.

6. Vous _____ (exagérer, ind. présent) quand vous _____ (prendre, ind. présent) ce qui nous appartient.

7. _____ (écrire, imp. présent, 2e pers. du sing.) d'abord ton nom sur la feuille puis _____ (inscrire, imp. présent, 2e pers. du sing.) ensuite la date.

8. Tu ne _____ (vouloir, ind. présent) pas y aller mais tu _____ (savoir, ind. présent) très bien que tu iras quand même.

9. Tu _____ (réagir, passé simple) mal quand tu _____ (décider, passé simple) de bouder.

10. _____ (mettre, imp. présent, 2e pers. du plur.) plus de sucre dans le café.

11. Vous _____ (être, ind. présent) imprudents quand vous _____ (traverser, ind. présent) la rue sans regarder.

12. _____ (pencher, imp. présent, 2e pers. du sing.)-toi vers l'avant et _____ (lever, imp. présent, 2e pers. du sing.) le bras.

13. Tu _____ (aller, ind. présent) maintenant à ton cours de tennis.

14. Vous _____ (recevoir, passé simple) des félicitations pour cet acte de bravoure.

15. Tu _____ (sentir, passé simple) tout de suite que cela ne passerait pas.

Écris le verbe au temps demandé.

1. _____ (chercher, imp. présent, 2ᵉ pers. du plur.) l'indice.

2. Vous _____ (cueillir, ind. présent) des fraises que vous _____ (manger, ind. présent).

3. Vous _____ (porter, passé simple) les plus lourds paquets.

4. Tu _____ (remettre, ind. présent) toujours au lendemain.

5. Tu _____ (casser, passé simple) son unique jouet.

6. _____ (allumer, imp. présent, 2ᵉ pers. du sing.) ta lampe.

7. Mes amis, vous _____ (fuir, ind. présent) encore les conséquences de vos actes.

8. Vous _____ (parler, passé simple) à tous les invités.

9. Tu _____ (manquer, ind. présent) de savoir-vivre et tu ne t'en _____ (rendre, ind. présent) pas compte.

10. _____ (boire, imp. présent, 2ᵉ pers. du plur.) de la citronnade.

11. Cette fois-là, tu _____ (finir, passé simple) par convaincre tes parents.

12. En Angleterre, _____ (conduire, imp. présent, 2ᵉ pers. du plur.) à gauche.

13. Vous _____ (sortir, passé simple) avec des amies.

14. Vous _____ (déduire, ind. présent) trop vite que nous sommes faibles.

15. Annie, _____ (essayer, imp. présent, 2ᵉ pers. du sing.) de me comprendre.

La troisième personne

La 3e personne indique la personne DE QUI l'on parle. Si elle est seule, on emploie le pronom IL ou ELLE; s'il s'agit de deux ou de plusieurs personnes, on utilise le pronom ILS ou ELLES.

- **Les terminaisons fixes**

  À la 3e personne, les terminaisons sont fixes (ne changent pas) pour les verbes de tous les groupes aux temps suivants:

  - **L'indicatif imparfait**

    3e personne du singulier: AIT   (Elle penchait)
    3e personne du pluriel: AIENT   (Ils penchaient)
  - **Le futur simple**

    3e personne du singulier: RA   (Elle penchera)
    3e personne du pluriel: RONT   (Ils pencheront)
  - **Le conditionnel présent**

    3e personne du singulier: RAIT   (Elle pencherait)
    3e personne du pluriel: RAIENT   (Ils pencheraient)
  - **Le subjonctif présent**

    3e personne du singulier: E   (Qu'elle penche)
    3e personne du pluriel: ENT   (Qu'ils penchent)

- **Les terminaisons variables**

  À la 3e personne, les terminaisons sont variables (changent) selon le groupe auquel le verbe appartient aux temps suivants:

  - **Les verbes en ER (1er groupe)**

    - **L'indicatif présent**

      3e personne du singulier: E   (Elle penche)
      3e personne du pluriel: ENT   (Ils penchent)

    - **Le passé simple**

      3e personne du singulier: A   (Elle pencha)
      3e personne du pluriel: ÈRENT   (Ils penchèrent)

  - **Les verbes en IR qui font ISSAIS à l'imparfait de l'indicatif (2e groupe)**

    - **L'indicatif présent**

      3e personne du singulier: T   (Il ternit)
      3e personne du pluriel: ENT   (Elles ternissent)

    - **Le passé simple**

      3e personne du singulier: IT   (Il ternit)
      3e personne du pluriel: IRENT   (Elles ternirent)

- **Les verbes en IR, OIR, ENDRE, etc. (3ᵉ groupe)**

  - **L'indicatif présent**

    3ᵉ personne du singulier: **T, D ou C** (Il sent, il prend, il vainc)

    3ᵉ personne du pluriel: **ENT** (Elles sentent)

  - **Le passé simple**

    3ᵉ personne du singulier: **IT, UT ou INT** (Il prit, il sut, il vint)

    3ᵉ personne du pluriel: **IRENT, URENT ou INRENT** (Elles prirent, elles surent, ils vinrent)

Activité 125

Lesquels de ces verbes écrits à la 3ᵉ personne du singulier le sont à l'indicatif imparfait, au futur simple, au subjonctif présent et au conditionnel présent?

	Ind. imparfait	Futur simple	Subj. présent	Cond. présent
1. Il distribuait				
2. Elle recevrait				
3. Qu'il soutienne				
4. Qu'elle finisse				
5. Il passera				
6. Elle mentionnerait				
7. Il réagissait				

	Ind. imparfait	Futur simple	Subj. présent	Cond. présent
8. Elle accorderait	_____	_____	_____	_____
	_____	_____	_____	_____
9. Il lira	_____	_____	_____	_____
	_____	_____	_____	_____
10. Qu'elle obtienne	_____	_____	_____	_____
	_____	_____	_____	_____
11. Qu'il soumette	_____	_____	_____	_____
	_____	_____	_____	_____
12. Il regardait	_____	_____	_____	_____
	_____	_____	_____	_____
13. Elle soulèvera	_____	_____	_____	_____
	_____	_____	_____	_____
14. Il nierait	_____	_____	_____	_____
	_____	_____	_____	_____
15. Elle pensera	_____	_____	_____	_____
	_____	_____	_____	_____

Activité 126

Lesquels de ces verbes écrits à la 3ᵉ personne du singulier le sont à l'indicatif imparfait, au futur simple, au subjonctif présent et au conditionnel présent?

	Ind. imparfait	Futur simple	Subj. présent	Cond. présent
1. Elle voulait	_____	_____	_____	_____
	_____	_____	_____	_____
2. Qu'il puisse	_____	_____	_____	_____
	_____	_____	_____	_____
3. Qu'elle comprenne	_____	_____	_____	_____
	_____	_____	_____	_____

	Ind. imparfait	Futur simple	Subj. présent	Cond. présent
4. Elle jugerait				
5. Il attribuera				
6. Elle manquerait				
7. Elle bannira				
8. Qu'il soit				
9. Qu'elle ait				
10. Il irait				
11. Elle dira				
12. Qu'il subisse				
13. Qu'elle avoue				
14. Il clouera				
15. Elle grossirait				

Lesquels de ces verbes écrits à la 3ᵉ personne du pluriel le sont à l'indicatif imparfait, au futur simple, au subjonctif présent et au conditionnel présent?

	Ind. imparfait	Futur simple	Subj. présent	Cond. présent
1. Ils transcrivaient	_____	_____	_____	_____
	_____	_____	_____	_____
2. Qu'ils puissent	_____	_____	_____	_____
	_____	_____	_____	_____
3. Ils savaient	_____	_____	_____	_____
	_____	_____	_____	_____
4. Ils obtiendront	_____	_____	_____	_____
	_____	_____	_____	_____
5. Elles conserveraient	_____	_____	_____	_____
	_____	_____	_____	_____
6. Qu'ils changent	_____	_____	_____	_____
	_____	_____	_____	_____
7. Elles étaient	_____	_____	_____	_____
	_____	_____	_____	_____
8. Elles lèveront	_____	_____	_____	_____
	_____	_____	_____	_____
9. Elles éviteraient	_____	_____	_____	_____
	_____	_____	_____	_____
10. Qu'ils perdent	_____	_____	_____	_____
	_____	_____	_____	_____
11. Elles apprenaient	_____	_____	_____	_____
	_____	_____	_____	_____
12. Ils agenceront	_____	_____	_____	_____
	_____	_____	_____	_____
13. Ils sauteraient	_____	_____	_____	_____
	_____	_____	_____	_____

	Ind. imparfait	Futur simple	Subj. présent	Cond. présent
14. Qu'elles arrivent	_____	_____	_____	_____
	_____	_____	_____	_____
15. Ils arrangeaient	_____	_____	_____	_____
	_____	_____	_____	_____

Activité 128

Lesquels de ces verbes écrits à la 3ᵉ personne du pluriel le sont à l'indicatif imparfait, au futur simple, au subjonctif présent et au conditionnel présent?

	Ind. imparfait	Futur simple	Subj. présent	Cond. présent
1. Qu'elles groupent	_____	_____	_____	_____
	_____	_____	_____	_____
2. Ils produiront	_____	_____	_____	_____
	_____	_____	_____	_____
3. Elles connaissaient	_____	_____	_____	_____
	_____	_____	_____	_____
4. Ils montraient	_____	_____	_____	_____
	_____	_____	_____	_____
5. Qu'elles punissent	_____	_____	_____	_____
	_____	_____	_____	_____
6. Ils ajusteront	_____	_____	_____	_____
	_____	_____	_____	_____
7. Elles travaillaient	_____	_____	_____	_____
	_____	_____	_____	_____
8. Ils réagiraient	_____	_____	_____	_____
	_____	_____	_____	_____
9. Qu'ils posent	_____	_____	_____	_____
	_____	_____	_____	_____

	Ind. imparfait	Futur simple	Subj. présent	Cond. présent
10. Elles croiront	_____	_____	_____	_____
	_____	_____	_____	_____
11. Ils se fieraient	_____	_____	_____	_____
	_____	_____	_____	_____
12. Elles faisaient	_____	_____	_____	_____
	_____	_____	_____	_____
13. Qu'ils acceptent	_____	_____	_____	_____
	_____	_____	_____	_____
14. Elles mettront	_____	_____	_____	_____
	_____	_____	_____	_____
15. Ils relayaient	_____	_____	_____	_____
	_____	_____	_____	_____

Activité 129

Écris les verbes suivants à la 3e personne du singulier et à la 3e personne du pluriel du conditionnel présent.

	3e personne du singulier	3e personne du pluriel
1. Décider	_____	_____
2. Finir	_____	_____
3. Rencontrer	_____	_____
4. Être	_____	_____
5. Prendre	_____	_____
6. Varier	_____	_____
7. Introduire	_____	_____
8. Conter	_____	_____
9. Servir	_____	_____
10. Intervenir	_____	_____
11. Surprendre	_____	_____

	3ᵉ personne du singulier	3ᵉ personne du pluriel
12. Bâtir		
13. Devoir		
14. Utiliser		
15. Poursuivre		

Activité 130

Écris les verbes suivants à la 3ᵉ personne du singulier et à la 3ᵉ personne du pluriel du conditionnel présent.

	3ᵉ personne du singulier	3ᵉ personne du pluriel
1. Fixer		
2. Devenir		
3. Percevoir		
4. Risquer		
5. Faire		
6. Tendre		
7. Revenir		
8. Atteindre		
9. Recevoir		
10. Acheminer		
11. Brunir		
12. Installer		
13. Mettre		
14. Noircir		
15. Suivre		

145

Activité 131

Écris les verbes suivants à la 3e personne du singulier et à la 3e personne du pluriel du subjonctif présent.

	3e **personne du singulier**	3e **personne du pluriel**
1. Forcer		
2. Unir		
3. Décrire		
4. Appeler		
5. Mourir		
6. Disparaître		
7. Mettre		
8. Apercevoir		
9. Battre		
10. Rester		
11. Comprendre		
12. Couler		
13. Recevoir		
14. Ranger		
15. Brandir		

Activité 132

Écris les verbes suivants à la 3e personne du singulier et à la 3e personne du pluriel du subjonctif présent.

	3e **personne du singulier**	3e **personne du pluriel**
1. Boucher		
2. Défaire		
3. Paraître		
4. Inscrire		
5. Durcir		
6. Chanter		

	3e personne du singulier	3e personne du pluriel
7. Dire	_____	_____
8. Descendre	_____	_____
9. Munir	_____	_____
10. Voir	_____	_____
11. Faillir	_____	_____
12. Bouder	_____	_____
13. Fournir	_____	_____
14. Croire	_____	_____
15. Abattre	_____	_____

Activité 133

Écris les verbes suivants à la 3e personne du singulier et à la 3e personne du pluriel du futur simple.

	3e personne du singulier	3e personne du pluriel
1. Feindre	_____	_____
2. Aller	_____	_____
3. Parvenir	_____	_____
4. Remettre	_____	_____
5. Lier	_____	_____
6. Agir	_____	_____
7. Survivre	_____	_____
8. Gagner	_____	_____
9. Sentir	_____	_____
10. Unir	_____	_____
11. Apparaître	_____	_____
12. Fuir	_____	_____
13. Faire	_____	_____
14. Songer	_____	_____
15. Pendre	_____	_____

Activité 134

Écris les verbes suivants à la 3ᵉ personne du singulier et à la 3ᵉ personne du pluriel du futur simple.

	3ᵉ personne du singulier	3ᵉ personne du pluriel
1. Attendre		
2. Sortir		
3. Confirmer		
4. Alourdir		
5. Être		
6. Éteindre		
7. Hausser		
8. Reprendre		
9. Taxer		
10. Ternir		
11. Venir		
12. Connaître		
13. Avoir		
14. Permettre		
15. Mentir		

Activité 135

Écris les verbes suivants à la 3ᵉ personne du singulier et à la 3ᵉ personne du pluriel de l'imparfait de l'indicatif.

	3ᵉ personne du singulier	3ᵉ personne du pluriel
1. Monter		
2. Dire		
3. Admettre		
4. Reprendre		
5. Penser		
6. Nuire		

	3e personne du singulier	3e personne du pluriel

	3e personne du singulier	**3e personne du pluriel**
7. Remplir	_____	_____
8. Haïr	_____	_____
9. Lire	_____	_____
10. Rencontrer	_____	_____
11. Procéder	_____	_____
12. Contenir	_____	_____
13. Hésiter	_____	_____
14. Gémir	_____	_____
15. Accorder	_____	_____

Activité 136

Écris les verbes suivants à la 3e personne du singulier et à la 3e personne du pluriel de l'imparfait de l'indicatif.

	3e personne du singulier	**3e personne du pluriel**
1. Allumer	_____	_____
2. Garantir	_____	_____
3. Commettre	_____	_____
4. Découvrir	_____	_____
5. Écrire	_____	_____
6. Naître	_____	_____
7. Voir	_____	_____
8. Regarder	_____	_____
9. Frémir	_____	_____
10. Tendre	_____	_____
11. Maintenir	_____	_____
12. Mener	_____	_____
13. Coudre	_____	_____
14. Ouvrir	_____	_____
15. Raconter	_____	_____

Classe les verbes suivants selon leur groupe, leur mode et leur temps.

Il tournait	Qu'il sorte	Il découvrira
Qu'elle continue	Qu'elle finisse	Qu'elle craigne
Il tiendra	Elle grandirait	Il survivra
Elle briserait	Il poussera	Elle couvrirait
Il écrirait	Il fournira	Il postera
Elle recevra	Qu'il étudie	Elle souriait
Il finira	Elle ouvrirait	Il boudait

Ind. imparfait
(1ᵉʳ groupe)

_____
_____
_____
_____

Ind. imparfait
(2ᵉ groupe)

_____
_____
_____
_____

Ind. imparfait
(3ᵉ groupe)

_____
_____
_____
_____

Cond. présent
(1ᵉʳ groupe)

_____
_____
_____
_____

Cond. présent
(2ᵉ groupe)

_____
_____
_____
_____

Cond. présent
(3ᵉ groupe)

_____
_____
_____
_____

Futur simple
(1ᵉʳ groupe)

_____
_____
_____
_____

Futur simple
(2ᵉ groupe)

_____
_____
_____
_____

Futur simple
(3ᵉ groupe)

_____
_____
_____
_____

Subj. présent
(1ᵉʳ groupe)

_____
_____
_____

Subj. présent
(2ᵉ groupe)

_____
_____
_____

Subj. présent
(3ᵉ groupe)

_____
_____
_____

Classe les verbes suivants selon leur groupe, leur mode et leur temps.

Ils mettraient	Elles passaient	Ils couperaient
Ils serviront	Elles blêmiraient	Qu'ils accostent
Qu'ils sévissent	Elles frémiront	Elles réagiraient
Ils lavaient	Qu'elles perçoivent	Elles unissaient
Qu'ils possèdent	Ils gêneront	Elles braveraient
Ils graveront		

Ind. imparfait **(1er groupe)**	**Ind. imparfait** **(2e groupe)**	**Ind. imparfait** **(3e groupe)**
_____	_____	_____
_____	_____	_____
_____	_____	_____

Cond. présent **(1er groupe)**	**Cond. présent** **(2e groupe)**	**Cond. présent** **(3e groupe)**
_____	_____	_____
_____	_____	_____
_____	_____	_____

Futur simple **(1er groupe)**	**Futur simple** **(2e groupe)**	**Futur simple** **(3e groupe)**
_____	_____	_____
_____	_____	_____
_____	_____	_____

Subj. présent **(1er groupe)**	**Subj. présent** **(2e groupe)**	**Subj. présent** **(3e groupe)**
_____	_____	_____
_____	_____	_____
_____	_____	_____

Écris les verbes au temps demandé.

1. Les conseillers lui _____ (cacher, ind. imparfait) la vérité et tous le _____ (savoir, ind. imparfait).

2. Le monde _____ (aller, cond. présent) mieux si les gens s'_____ (aider, ind. imparfait).

3. Les cuisiniers _____ (faire, ind. futur simple) des heures supplémentaires mais tous les invités _____ (être, ind. futur simple) servis correctement.

4. Nathalie _____ (quitter, ind. futur simple) son poste au mois d'août.

5. Il veut que les responsables _____ (venir, subj. présent) s'expliquer.

6. Il _____ (désirer, ind. imparfait) que les jours s'_____ (écouler, subj. présent) rapidement.

7. On m'avait prévenu que le médecin _____ (venir, cond. présent) pourvu qu'il _____ (être, subj. présent) libre.

8. Les renards y _____ (retourner, ind. futur simple) et ils _____ (dévorer, ind. futur simple) les dernières poules.

9. Elles _____ (admirer, cond. présent) sûrement ces vieilles dames qui _____ (broder, ind. imparfait) si bien.

10. Le président désire que tous les députés se _____ (présenter, subj. présent) devant le comité.

11. Les vagues _____ (apporter, ind. imparfait) des algues sur la plage.

12. On _____ (organiser, ind. futur simple) une activité qui _____ (plaire, ind. futur simple) aux jeunes.

13. Elle _____ (acheter, cond. présent) de tels vêtements si elle _____ (avoir, ind. imparfait) l'occasion de les porter.

14. Il faut que la barricade _____ (tenir, subj. présent) jusqu'à la fin.

15. Des branches de sapin _____ (joncher, ind. imparfait) le sol.

Activité 140

Écris les verbes au temps demandé.

1. Les automobilistes _____ (faire, ind. futur simple) un long détour.

2. Mes tantes _____ (accepter, cond. présent) de nous recevoir si elles _____ (posséder, ind. imparfait) une maison assez grande.

3. Il est bon que les animateurs se _____ (connaître, subj. présent) mieux.

4. Notre vendeuse _____ (répondre, ind. imparfait) déjà à un autre client.

5. Les accusés _____ (nier, ind. futur simple) leur culpabilité.

6. Demain, ils _____ (trouver, ind. futur simple) une solution à ce problème.

7. Mirko _____ (étendre, cond. présent) ses jambes s'il le _____ (pouvoir, ind. imparfait).

8. Pourvu que les insectes s'en _____ (aller, subj. présent), les cultivateurs n'en demandent pas plus.

9. Si le pays _____ (dévaluer, ind. imparfait) sa monnaie, tous _____ (perdre, cond. présent) beaucoup d'argent.

10. Ces nouvelles bicyclettes se _____ (vendre, ind. futur simple) à un bon prix.

11. Il faut que les matelots _____ (entretenir, subj. présent) chaque cabine.

12. On _____ (pouvoir, ind. futur simple) parler de l'avenir plus tard.

13. Si un étranger _____ (frapper, ind. imparfait) à sa porte, il le _____ (recevoir, cond. présent) bien.

14. Le maire désire que les troubles _____ (finir, subj. présent) et que les manifestants _____ (retourner, subj. présent) chez eux.

15. Nous craignons encore qu'elle nous _____ (surprendre, subj. présent) à ne rien faire.

Activité 141

Lesquels de ces verbes écrits à la 3e personne du singulier le sont à l'indicatif présent et au passé simple?

	Indicatif présent	Passé simple
1. Il dépassa		
2. Elle craignit		
3. Il nie		
4. Il attribue		
5. Elle défia		
6. Il donne		
7. Elle parut		
8. Il partit		
9. Elle porta		
10. Elle sait		
11. Il dut		
12. Elle conquit		
13. Il punit		
14. Elle sort		
15. Il sauta		

Activité 142

Lesquels de ces verbes écrits à la 3e personne du pluriel le sont à l'indicatif présent et au passé simple?

	Indicatif présent	Passé simple
1. Ils purent		
2. Elles contribuent		
3. Ils prirent		
4. Elles soutiennent		

154

	Indicatif présent	Passé simple
5. Ils teignent		
6. Elles allumèrent		
7. Elles saisirent		
8. Ils agissent		
9. Elles sentirent		
10. Ils plièrent		
11. Elles lisent		
12. Ils écrivirent		
13. Elles donnèrent		
14. Ils eurent		
15. Elles firent		

Activité 143

Classe les verbes de l'activité 141 selon leur groupe, leur mode et leur temps.

Ind. présent (1er groupe)	Ind. présent (2e groupe)	Ind. présent (3e groupe)

Passé simple (1er groupe)	Passé simple (2e groupe)	Passé simple (3e groupe)

Activité 144

Classe les verbes de l'activité 142 selon leur groupe, leur mode et leur temps.

Ind. présent (1er groupe)	Ind. présent (2e groupe)	Ind. présent (3e groupe)
_____	_____	_____
_____	_____	_____
_____	_____	_____
_____	_____	_____
_____	_____	_____

Passé simple (1er groupe)	Passé simple (2e groupe)	Passé simple (3e groupe)
_____	_____	_____
_____	_____	_____
_____	_____	_____
_____	_____	_____

Activité 145

Écris les verbes au temps demandé.

1. Manuel _____ (espérer, passé simple) que ses rêves se réaliseraient.

2. Les chasseurs _____ (tuer, passé simple) deux chevreuils.

3. Elle _____ (essayer, ind. présent) encore de s'imposer.

4. Les peintres _____ (vouloir, ind. présent) un meilleur salaire.

5. Les policiers _____ (saisir, passé simple) des armes à feu.

6. Ce livre se _____ (vendre, passé simple) très cher.

7. On _____ (distribuer, ind. présent) déjà les plats.

8. Mes amis _____ (aller, passé simple) à la campagne.

9. Le concierge _____ (intervenir, passé simple) aussitôt.

10. Ces nouvelles règles _____ (gâter, ind. présent) le climat.

11. Nos professeurs _____ (mentionner, passé simple) cette possibilité.

12. Ce douanier _____ (retenir, ind. présent) le paquet.

13. Les spectateurs se _____ (dire, passé simple) qu'ils étaient arrivés trop tôt.

14. L'agent _____ (louer, ind. présent) le civisme des écoliers.

15. Maria _____ (vouloir, ind. présent) faire pousser des fleurs.

Activité 146

Écris les verbes au temps demandé.

1. Harold et Louisa _____ (pouvoir, ind. présent) revenir quand ils le _____ (vouloir, ind. présent).

2. L'organisatrice _____ (remettre, passé simple) des prix aux meilleures.

3. Les roses se _____ (faner, ind. présent) vite dans cette pièce surchauffée.

4. Les sauveteurs _____ (admettre, passé simple) qu'ils étaient arrivés trop tard.

5. La chaleur _____ (accabler, ind. présent) le voyageur.

6. La peste _____ (frapper, passé simple) les plus faibles.

7. Les contraventions _____ (susciter, passé simple) un tollé de protestations.

8. Les spécialistes _____ (évaluer, ind. présent) encore les dommages.

9. Éric _____ (prendre, ind. présent) l'autobus chaque matin.

10. Les plus braves _____ (faire, passé simple) un pas en arrière.

11. Cela _____ (signifier, ind. présent) que tous _____ (venir, ind. présent) à la rencontre prévue.

12. Ce jeune joueur _____ (perdre, passé simple) ses trois premiers matchs.

13. Ils _____ (brandir, passé simple) des menaces terribles.

14. Quand l'accident _____ (survenir, passé simple), personne ne _____ (vouloir, passé simple) intervenir.

15. Les mécontents _____ (arracher, passé simple) leur insigne.

Chapitre quatrième

Auxiliaires et verbes irréguliers

Auxiliaires et verbes irréguliers

La connaissance des auxiliaires **AVOIR** et **ÊTRE** ainsi que des verbes **ALLER**, **FAIRE**, **ENVOYER**, **HAÏR**, **DEVOIR**, **POUVOIR** et **VOIR** est non seulement utile mais nécessaire. Il est évident que l'écolier et l'écolière ont besoin de connaître parfaitement les deux auxiliaires parce qu'ils interviennent dans la construction de tous les verbes aux temps composés. Par ailleurs, les autres verbes abordés dans ce chapitre méritent une attention spéciale tant pour leurs formes irrégulières à certains temps que pour la fréquence de leur utilisation.

C'est pourquoi nous offrons dans ce 4e chapitre plusieurs exercices qui visent à améliorer l'habileté de l'élève dans l'utilisation de ces verbes. Une meilleure maîtrise de ces derniers donnera des bases plus solides dans ce domaine.

Avoir et être

CONNAISSANCES

Les verbes **AVOIR** et **ÊTRE** sont considérés comme des auxiliaires parce qu'ils servent à la construction des temps composés de tous les verbes.

L'un et l'autre ont des formes très différentes et irrégulières à plusieurs temps. (Voir aux pages 12 et 13.)

	Avoir	Être
• **Indicatif**		
Présent:	J'ai, tu as, il a...	Je suis, tu es, il est...
Imparfait:	J'avais...	J'étais...
Passé simple:	J'eus...	Je fus...
Futur simple:	J'aurai...	Je serai...
Passé composé:	J'ai eu...	J'ai été...
Plus-que-parfait:	J'avais eu...	J'avais été...
Passé antérieur:	J'eus eu...	J'eus été...
Futur antérieur:	J'aurai eu...	J'aurai été...

- **Conditionnel**

  Présent: J'aurais...   Je serais...

  Passé: J'aurais eu...   J'aurais été...

- **Impératif**

  Présent: Aie, ayons, ayez   Sois, soyons, soyez

- **Subjonctif**

  Présent: Que j'aie...   Que je sois...

  Passé: Que j'aie eu...   Que j'aie été...

- **Participe**

  Présent: Ayant   Étant

  Passé: Eu, ayant eu   Été, ayant été

- **Infinitif**

  Présent: Avoir   Être

  Passé: Avoir eu   Avoir été

- **À remarquer**

  1) Les temps composés du verbe être sont formés avec l'auxiliaire AVOIR.
     Ex.: J'ai été.

  2) Il est important de retenir que le participe passé du verbe AVOIR est EU et que celui du verbe ÊTRE est ÉTÉ.

  3) Au subjonctif présent, aux 1re et 2e personnes du pluriel, les verbes AVOIR et ÊTRE ne prennent pas de «i» comme les autres verbes.
     Ex.: Que nous ayons, que vous soyez.

  4) Au futur simple et au conditionnel présent, le radical de AVOIR est AUR et celui de ÊTRE est SER.
     Ex.: J'aurai, je serai.

Activité 147

Quel auxiliaire ces verbes écrits à un temps composé emploient-ils?

1. Je suis parti _____

2. Étant donné _____

3. Que j'aie prévu _____

4. Que tu sois punie _____

5. Tu étais sorti _____

6. Elle aurait convenu _____

7. Nous serions pris _____

8. Vous aurez vu _____

9. Ils ont lu _____

10. Ayant ri _____

11. Avoir compris _____

12. Je serais surpris _____

13. Tu eus admis _____

14. Elle est morte _____

15. Nous avions blêmi _____

Activité 148

Quel auxiliaire ces verbes écrits à un temps composé emploient-ils?

1. J'ai tâté_____

2. Tu fus marqué _____

3. Elle aura mangé_____

4. Vous aviez tenu _____

5. Nous serons blessés _____

6. Ils auront conduit _____

7. Vous eûtes apprécié _____

8. Nous eûmes conquis_____

9. Elle avait peint _____

10. Tu eus marqué _____

11. Que j'aie accepté_____

12. Elle serait bénie _____

13. Nous avons libéré _____

14. Ayant lâché _____

15. Tu étais placé _____

Activité 149

Écris les verbes **avoir** et **être** à la même personne et au même temps que les verbes de la colonne de gauche.

	Avoir	Être
1. Je lavais		
2. Tu écris		
3. Elle a éteint		
4. Nous avions vu		
5. Vous aurez crié		
6. Ils parlèrent		
7. Prononce		
8. Aimer		
9. Disant		
10. Ayant porté		
11. Que je prenne		
12. Tu poursuivrais		
13. Il aurait connu		
14. Nous réfléchirons		
15. Vous remarquâtes		

Activité 150

Écris les verbes **avoir** et **être** à la même personne et au même temps que les verbes de la colonne de gauche.

	Avoir	Être
1. Elles soulignent		
2. Je craindrais		
3. Il pense		
4. Nous offririons		
5. Vous avez découvert		

	Avoir	Être
6. Elles chanteront	_____	_____
7. Qu'il dirige	_____	_____
8. Lançons	_____	_____
9. Dégagé	_____	_____
10. Elle attire	_____	_____
11. Vous supposiez	_____	_____
12. Souffrant	_____	_____
13. Elle planta	_____	_____
14. Nous allions	_____	_____
15. Ils exagéraient	_____	_____

Activité 151

Dis à quel mode et à quel temps sont écrits les verbes **avoir** et **être**.

	Mode	Temps
1. Qu'il soit	_____	_____
2. Avoir eu	_____	_____
3. Ayant	_____	_____
4. Je fus	_____	_____
5. Tu étais	_____	_____
6. Elle a été	_____	_____
7. Nous fûmes	_____	_____
8. Vous aviez eu	_____	_____
9. Ils eurent	_____	_____
10. Sois	_____	_____
11. Que j'aie	_____	_____
12. Étant	_____	_____
13. Tu auras été	_____	_____
14. Elle eut eu	_____	_____
15. Nous avons eu	_____	_____

Dis à quel mode et à quel temps sont écrits les verbes **avoir** et **être**.

	Mode	Temps
1. Aie	_____	_____
2. Elles furent	_____	_____
3. Qu'il ait eu	_____	_____
4. Soyez	_____	_____
5. J'étais	_____	_____
6. Avoir	_____	_____
7. Tu seras	_____	_____
8. Que tu aies été	_____	_____
9. Vous seriez	_____	_____
10. J'aurais	_____	_____
11. Ayons	_____	_____
12. Nous serions	_____	_____
13. Il aura eu	_____	_____
14. Elles auraient été	_____	_____
15. Ayant été	_____	_____

Écris les verbes au temps demandé.

1. Cette année-là, j'_____ (avoir, passé simple) une nouvelle bicyclette.

2. _____ (être, part. présent) repoussée par la bande, Éliane se sentait seule.

3. _____ (avoir, cond. présent)-tu l'amabilité d'ouvrir la porte?

4. Il faut qu'elle _____ (être, subj. présent) prête à partir demain.

5. Nous _____ (avoir, ind. futur simple) la chance de montrer ce que nous pouvons faire.

6. Mon père _____ (être, ind. imparfait) un homme bon et il _____ (avoir, ind. imparfait) beaucoup de patience.

7. On exige de Sophie qu'elle _____ (avoir, subj. présent) tous ses diplômes.

8. Vous _____ (être, ind. présent) trop prudents.

9. Il _____ (être, cond. présent) très heureux de vous accueillir.

10. Nos mères _____ (avoir, ind. passé simple) de la difficulté à nous retrouver.

11. Messieurs, _____ (avoir, imp. présent, 2ᵉ pers. du plur.) soin de nettoyer vos casiers.

12. Si on me cherche, je _____ (être, ind. futur simple) au restaurant.

13. Que tous les enfants _____ (avoir, subj. présent) leur carte d'identité.

14. J'_____ (être, passé composé) très ému de la revoir.

15. Tu _____ (avoir, ind. plus-que-parfait) la chance de faire partie de notre groupe.

Activité 154

Écris les verbes au temps demandé.

1. Vous _____ (être, ind. présent) les bienvenus dans cette colonie de vacances.

2. Il _____ (être, ind. passé simple) étonné de voir cette foule.

3. Vous _____ (avoir, cond. présent) une meilleure santé si vous mangiez plus de fruits.

4. _____ (avoir, part. présent) la permission de mes parents, je pus sortir.

5. Il est nécessaire que vous _____ (être, subj. présent) plus charitables.

6. Elles _____ (être, passé composé) gentilles avec cette malade.

7. Ces hommes _____ (être, ind. futur simple) contents de pouvoir enfin chasser.

8. Tu _____ (avoir, ind. passé simple) l'honneur d'être la première.

9. Ils _____ (avoir, ind. plus-que-parfait) un travail supplémentaire.

10. Bien que vous n'_____ (avoir, subj. présent) que dix ans, vous pouvez comprendre.

11. Tu _____ (être, ind. futur simple) encore une fois le dernier arrivé.

12. _____ (avoir, imp. présent, 2e pers. du sing.) donc un peu de cœur.

13. _____ (avoir, inf. passé) un peu d'argent, je l'aurais acheté.

14. Les policiers _____ (avoir, ind. passé simple) plus de chance cette fois-là.

15. Vous _____ (être, ind. passé simple) celle qu'on remarqua d'abord.

Activité 155

Écris les conjugaisons manquantes.

Être

Je suis	J'_____	Je _____
Tu _____	Tu étais	Tu_____
Il est	Il _____	Il _____
Nous_____	Nous_____	Nous serons
Vous_____	Vous étiez	Vous serez
Ils sont	Ils _____	Ils _____

Je fus	Je_____	Que je sois
Tu fus	Tu serais	Que tu _____
Il _____	Il _____	Qu'il soit
Nous_____	Nous serions	Que nous _____
Vous fûtes	Vous_____	Que vous_____
Ils _____	Ils _____	Qu'ils _____

Être (suite)

_____

_____

Soyez

Avoir

J'ai	J'_____	J'_____
Tu _____	Tu _____	Tu auras
Il _____	Il avait	Il aura
Nous avons	Nous_____	Nous _____
Vous_____	Vous_____	Vous _____
Ils _____	Ils avaient	Ils auront

J' _____	J' _____	Que j'_____
Tu eus	Tu aurais	Que tu aies
Il _____	Il aurait	Qu'il _____
Nous_____	Nous_____	Que nous _____
Vous eûtes	Vous_____	Que vous_____
Ils _____	Ils _____	Qu'ils aient

Activité 156

A) Écris les verbes **avoir** et **être** à la 1ʳᵉ personne du singulier aux temps demandés.

	Avoir	Être
1. Le passé composé	_____	_____
2. L'indicatif plus-que-parfait	_____	_____
3. Le futur antérieur	_____	_____
4. Le passé antérieur	_____	_____
5. Le conditionnel passé	_____	_____
6. Le subjonctif passé	_____	_____

B) Écris les verbes **avoir** et **être** à la 3ᵉ personne du singulier aux temps demandés.

		Avoir	Être
1.	L'indicatif présent	_____	_____
2.	L'indicatif imparfait	_____	_____
3.	Le futur simple	_____	_____
4.	Le passé simple	_____	_____
5.	Le subjonctif présent	_____	_____
6.	Le conditionnel présent	_____	_____

C) Écris les verbes **avoir** et **être** aux temps demandés.

		Avoir	Être
1.	Le participe présent	_____	_____
2.	Le participe passé	_____	_____
3.	L'infinitif présent	_____	_____
4.	L'infinitif passé	_____	_____

Aller

CONNAISSANCES
· · · · · · · · · · · ·

Le verbe ALLER est un verbe irrégulier parce que son radical change à certains temps.

De plus, on remarquera que ce verbe se conjugue toujours avec l'auxiliaire ÊTRE. (Voir à la page 18.)

- **Indicatif**

Présent:	Je vais, tu vas, il va, nous allons, vous allez, ils vont
Imparfait:	J'allais…
Passé simple:	J'allai…
Futur simple:	J'irai…
Passé composé:	Je suis allé(e)…
Plus-que-parfait:	J'étais allé(e)…
Passé antérieur:	Je fus allé(e)…
Futur antérieur:	Je serai allé(e)…

- **Conditionnel**
  Présent: J'irais...
  Passé: Je serais allé(e)...

- **Impératif**
  Présent: Va, allons, allez

- **Subjonctif**
  Présent: Que j'aille...
  Passé: Que je sois allé(e)...

- **Participe**
  Présent: Allant
  Passé: Allé(e), étant allé(e)

- **Infinitif**
  Présent: Aller
  Passé: Être allé(e)

Activité 157

Écris le verbe **aller** au même temps et au même mode que les verbes suivants.

1. Je suivis _____

2. Tu arriveras _____

3. Elle goûterait _____

4. Nous voulions _____

5. Que vous aimiez _____

6. Ils sentent _____

7. Recevant _____

8. Finis _____

9. Ayant perdu _____

10. Je crois _____

11. Qu'elle essaie _____

12. Qu'ils possèdent _____

13. Nous porterons _____

14. Vous seriez _____

15. Je prenais _____

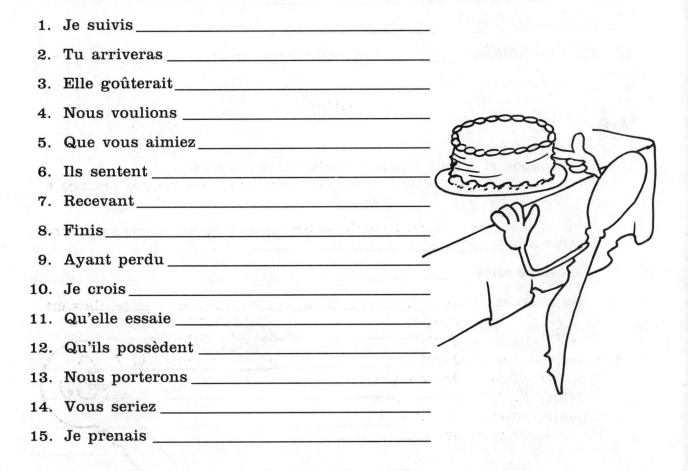

Activité 158

Écris le verbe **aller** au même temps et au même mode que les verbes suivants.

1. Il trouve _____
2. Elle permettra _____
3. Tu stimulerais _____
4. Que nous chantions _____
5. Il a refusé _____
6. Elles avaient conclu _____
7. Vous aurez touché _____
8. Plions _____
9. Ils avaient _____
10. Tu courus _____
11. Vous eûtes averti _____
12. Que tu aies _____
13. Elles ont murmuré _____
14. Prononcez _____
15. Elles terminèrent _____

Activité 159

Dis à quel mode et à quel temps le verbe **aller** est écrit.

	Mode	Temps
1. Je suis allé		
2. Vous étiez allés		
3. Elles allèrent		
4. Tu iras		
5. Il irait		
6. Qu'ils aillent		
7. Allant		

170

	Mode	**Temps**
8. Être allé	_____	_____
9. Qu'ils aillent	_____	_____
10. Étant allée	_____	_____
11. Vous fûtes allés	_____	_____
12. Nous serions allés	_____	_____
13. Allons	_____	_____
14. Qu'elle soit allée	_____	_____
15. Tu seras allé	_____	_____

Activité 160

Écris le verbe **aller** au temps demandé.

1. Demain, j'_____ (futur simple) l'acheter.

2. Pierre _____ (cond. présent) voir son père s'il le pouvait.

3. Tu _____ (ind. plus-que-parfait) rencontrer ton patron.

4. Ils _____ (passé simple) tous en vacances.

5. Nous _____ (passé composé) tous à une partie de hockey.

6. _____ (imp. présent, 2ᵉ pers. du sing.) demander la permission.

7. Il faut qu'Annie _____ (subj. présent) en classe.

8. Pour l'engager, on exige qu'il _____ (subj. présent) à l'université.

9. Tu _____ (ind. présent) trop souvent chez tes copines.

10. Quand elle arrivera, je _____ (futur antérieur) déjà voir le responsable.

11. _____ (imp. présent, 1ʳᵉ pers. du plur.) camper ensemble.

12. Les jeunes n'arrêtaient pas d'_____ (inf. présent) et venir.

13. _____ (inf. passé) s'excuser est déjà un premier pas.

14. C'est en _____ (part. présent) chercher son journal qu'elle l'a découvert.

15. Il n'avait plus rien à faire depuis qu'il _____ (ind. plus-que-parfait) enregistrer sa plainte.

Écris le verbe **aller** au temps demandé.

1. Je _____ (ind. présent) parfois aider les personnes âgées.

2. _____-tu (ind. présent) vérifier ta bicyclette?

3. Nous _____ (passé composé) à votre rencontre.

4. Il _____ (passé simple) interviewer l'artiste.

5. Vous _____ (cond. présent) probablement vous accuser de cette faute.

6. Nous _____ (ind. plus-que-parfait) visiter un musée.

7. _____ (imp. présent, 2e pers. du plur.) donc vous informer.

8. Il est souhaitable que vous vous en _____ (subj. présent).

9. Ces filles _____ (ind. présent) encore tout déplacer.

10. Pour une fois, tu _____ (futur simple) plus loin que leurs demandes.

11. Je _____ (cond. passé) si l'eau n'avait pas été si froide.

12. Nous _____ (ind. présent) à cette représentation.

13. Nous _____ (cond. présent) sûrement vous voir si vous demeuriez plus près.

14. Il est nécessaire que vous _____ (subj. présent) tous au gymnase.

15. Elles _____ (futur simple) à ce mariage malgré leur antipathie pour la famille.

Écris les conjugaisons manquantes.

Être

Je_____	J'allais	J'_____
Tu vas	Tu _____	Tu iras
Il _____	Il allait	Il_____
Nous_____	Nous_____	Nous _____
Vous allez	Vous_____	Vous irez
Ils _____	Ils allaient	Ils_____

J' _____	Je suis allé	J' _____
Tu allas	Tu _____	Tu irais
Il _____	Il est allé	Il irait
Nous allâmes	Nous_____	Nous _____
Vous_____	Vous_____	Vous _____
Ils _____	Ils _____	Ils _____

_____	Que j'aille	J'_____
Allons	Que tu ailles	Tu_____
_____	Qu'il aille	Il _____
	Que nous _____	Nous étions allés
	Que vous _____	Vous étiez allés
	Qu'ils _____	Ils _____

Je serais allé	Je_____
Tu serais allé	Tu _____
Il serait allé	Il _____
Nous_____	Nous serons allés
Vous_____	Vous serez allés
Ils _____	Ils seront allés

Faire

Connaissances
. . . .

Le verbe **FAIRE** (et ses composés comme refaire, défaire, parfaire, etc.) est un verbe du 3ᵉ groupe dont le radical change à certains temps. (Voir à la page 29.)

- **Indicatif**

Présent:	Je fais, tu fais, il fait, nous faisons, vous faites, ils font
Imparfait:	Je faisais...
Passé simple:	Je fis...
Futur simple:	Je ferai...
Passé composé:	J'ai fait...
Plus-que-parfait:	J'avais fait...
Passé antérieur:	J'eus fait...
Futur antérieur:	J'aurai fait...

- **Conditionnel**

  Présent: Je ferais...

  Passé: J'aurais fait...

- **Impératif**

  Présent: Fais, faisons, faites

- **Subjonctif**

  Présent: Que je fasse...

  Passé: Que j'aie fait...

- **Participe**

  Présent: Faisant

  Passé: Fait, ayant fait

- **Infinitif**

  Présent: Faire

  Passé: Avoir fait

- **À remarquer**

  1) À la 1re personne du pluriel de l'indicatif présent, le verbe faire s'écrit nous **FAISONS** même s'il se prononce nous «fesons».

  2) À la 2e personne du pluriel de l'indicatif présent, le verbe faire s'écrit vous **FAITES** et non vous «faisez».

  3) Au futur simple et au conditionnel présent, le radical de ce verbe devient **FE**.

      Ex.: Je ferai, je ferais.

  4) À l'impératif présent, à la 2e personne du pluriel, le verbe faire s'écrit **FAITES**.

Activité 163

Écris le verbe **faire** au même mode et au même temps que les verbes suivants.

1. Je suivis _____

2. Tu accepteras _____

3. Elle dirait _____

4. Nous avons conduit _____

5. Vous aviez peint _____

6. Éteins _____

7. Qu'ils viennent _____

174

8. Je peux _____

9. Partir _____

10. Sentant _____

11. Découvert _____

12. Tu croyais _____

13. Il aurait mis _____

14. Que j'aime _____

15. Nous eûmes _____

Activité 164

Écris le verbe **faire** au même mode et au même temps que les verbes suivants.

1. Vous aurez tiré _____

2. Ils avaient essayé _____

3. Lavons _____

4. Vous fûtes _____

5. Ils grimpèrent _____

6. Tu pleures _____

7. Je relevai _____

8. Qu'il finisse _____

9. Elles nettoyaient _____

10. Ils sauront _____

11. Nous paraîtrions _____

12. Vous cacherez _____

13. Ils ont voulu _____

14. Passez _____

15. Avoir trouvé _____

Dis à quel mode et à quel temps le verbe **faire** est écrit.

	Mode	Temps
1. Je ferais		
2. Tu fis		
3. Elle fait		
4. Que nous fassions		
5. Vous fîtes		
6. Elles ont fait		
7. Faisant		
8. Fait		
9. Faire		
10. Avoir fait		
11. Fais		
12. Je fis		
13. Tu avais fait		
14. Tu aurais fait		
15. Qu'ils aient fait		

Activité 166

Dis à quel mode et à quel temps le verbe **faire** est écrit.

	Mode	Temps
1. Faites		
2. J'aurai fait		
3. Nous aurions fait		
4. Nous fîmes		
5. Ils font		
6. J'eus fait		

	Mode	**Temps**
7. Tu feras	_____	_____
8. Elle ferait	_____	_____
9. Nous faisons	_____	_____
10. Vous eûtes fait	_____	_____
11. Que je fasse	_____	_____
12. Nous ferons	_____	_____
13. Nous ferions	_____	_____
14. Vous faites	_____	_____
15. Qu'elles fassent	_____	_____

Activité 167

Écris le verbe **faire** au temps demandé.

1. J'_____ (passé composé) une bonne action.

2. Fadia, _____ (imp. présent, 2ᵉ pers. du sing.) attention à ce que tu dis.

3. Mes amis, vous _____ (ind. présent) trop de bruit.

4. Ce soir-là, vous _____ (ind. plus-que-parfait) des heureux.

5. Il faut que ces personnes _____ (subj. présent) un don.

6. Que _____-vous (ind. imparfait) seuls dans le noir?

7. Tout ce que nous _____ (futur simple), ce sera pour vous plaire.

8. Qu'elles _____ (subj. passé) une telle erreur me dépasse.

9. Nous _____ (ind. présent) tout ce que nous pouvons.

10. Avant de planter le piquet, nous _____ (passé simple) un trou profond.

11. _____ (part. présent) partie de la chorale, elle ne pouvait partir.

12. _____ (inf. passé) une si longue route m'avait épuisé.

13. Je _____ (cond. présent) mieux de tout vous expliquer.

14. Tu _____ (futur simple) tes devoirs avant de partir.

15. _____ (imp. présent, 2ᵉ pers. du plur.) ce que je vous dis.

Écris le verbe **faire** au temps demandé.

1. Nguyen _____ (passé simple) paraître une annonce.

2. Il _____ (ind. imparfait) trop mauvais pour sortir.

3. Tu _____ (cond. passé) la même chose si tu avais été à ma place.

4. Elles _____ (futur antérieur) tout ce qu'elles pouvaient pour l'environnement.

5. Si j'_____ (ind. plus-que-parfait) tous mes comptes avant, j'aurais compris.

6. _____ (imp. présent, 1re pers. du plur.) d'abord une partie.

7. Qu'ils _____ (subj. présent) donc ce qu'ils désirent.

8. Nous _____ (passé simple) des provisions en vue de cette expédition.

9. _____ (inf. présent) une telle insulte à une amie est inexcusable.

10. C'est en ne _____ (part. présent) rien qu'on est le plus coupable.

11. Je _____ (futur simple) mon possible pour réussir.

12. Dans ta situation, je _____ (cond. présent) un effort.

13. Certains voyageurs _____ (passé simple) la grimace en regardant l'addition.

14. En quelques minutes, elle _____ (futur antérieur) plusieurs longueurs de piscine.

15. On _____ (futur simple) une exception à la règle.

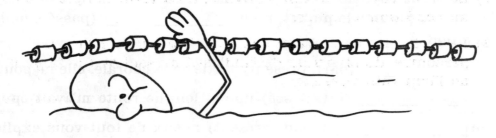

Envoyer et haïr

CONNAISSANCES

Les verbes **ENVOYER** et **HAÏR** sont des verbes irréguliers à certains temps.

	Envoyer	Haïr
• Indicatif		
Présent:	J'envoie...	Je hais...
Imparfait:	J'envoyais...	Je haïssais...
Passé simple:	J'envoyai...	Je haïs...
Futur simple:	J'enverrai...	Je haïrai...
Passé composé:	J'ai envoyé...	J'ai haï...
Plus-que-parfait:	J'avais envoyé...	J'avais haï...
Passé antérieur:	J'eus envoyé...	J'eus haï...
Futur antérieur:	J'aurai envoyé...	J'aurai haï...
• Conditionnel		
Présent:	J'enverrais...	Je haïrais...
Passé:	J'aurais envoyé...	J'aurais haï...
• Impératif		
Présent:	Envoie, envoyons, envoyez	Hais, haïssons, haïssez
• Subjonctif		
Présent:	Que j'envoie...	Que je haïsse...
Passé:	Que j'aie envoyé...	Que j'aie haï...
• Participe		
Présent:	Envoyant	Haïssant
Passé:	Envoyé, ayant envoyé	Haï, ayant haï
• Infinitif		
Présent:	Envoyer	Haïr
Passé:	Avoir envoyé	Avoir haï

• À remarquer

1) Le verbe envoyer s'écrit **J'ENVERRAI** au futur simple et **J'ENVERRAIS** au conditionnel présent.

2) Le verbe **HAÏR** *ne prend pas de tréma* sur le **i** aux trois premières personnes du singulier de l'indicatif présent et à la 2ᵉ pers. du sing. de l'impératif présent.

Écris les verbes **envoyer** et **haïr** au même mode et au même temps que les verbes de la colonne de gauche.

	Envoyer	**Haïr**
1. Je croyais		
2. Tu soutiendrais		
3. Elle a compris		
4. Vérifie		
5. Nous noterons		
6. Vous indiqueriez		
7. Elles suggérèrent		
8. Que je vois		
9. Tu avais signé		
10. Il vaincra		
11. Nous aurions pu		
12. Vous aurez trouvé		
13. Qu'elles prennent		
14. Parlant		
15. Rire		

Écris les verbes **envoyer** et **haïr** au même mode et au même temps que les verbes de la colonne de gauche.

	Envoyer	**Haïr**
1. Changez		
2. Tu notes		
3. Elle prendrait		
4. Que nous recevions		
5. Ayant bâti		

	Envoyer	**Haïr**
6. Vous eûtes	_____	_____
7. Ils paraîtront	_____	_____
8. Je perdis	_____	_____
9. Tu suggérais	_____	_____
10. Il profitera	_____	_____
11. Nous avons dit	_____	_____
12. Que vous ayez écrit	_____	_____
13. Elle marcha	_____	_____
14. Nous craindrons	_____	_____
15. Il prouve	_____	_____

Activité 171

Identifie le mode et le temps de chacun de ces verbes.

	Mode	**Temps**
1. Il hait	_____	_____
2. Tu enverras	_____	_____
3. J'envoyai	_____	_____
4. Avoir haï	_____	_____
5. Ayant envoyé	_____	_____
6. Tu haïssais	_____	_____
7. Il enverrait	_____	_____
8. Que nous haïssions	_____	_____
9. Que vous ayez envoyé	_____	_____
10. Hais	_____	_____
11. Ils enverraient	_____	_____
12. Je hais	_____	_____
13. Tu eus envoyé	_____	_____
14. Elle aurait haï	_____	_____
15. Nous avions envoyé	_____	_____

Identifie le mode et le temps de chacun de ces verbes.

	Mode	**Temps**
1. Je haïssais	_____	_____
2. Elle enverrait	_____	_____
3. Vous avez haï	_____	_____
4. Il envoie	_____	_____
5. Il hait	_____	_____
6. Tu aurais envoyé	_____	_____
7. Haïssant	_____	_____
8. Envoie	_____	_____
9. Tu avais haï	_____	_____
10. Nous aurons envoyé	_____	_____
11. Ils eurent haï	_____	_____
12. Qu'ils envoient	_____	_____
13. Haïssez	_____	_____
14. Que j'aie haï	_____	_____
15. Qu'il haïsse	_____	_____

Activité 173

Écris le verbe au temps demandé.

1. Je _____ (haïr, ind. présent) l'hypocrisie.

2. Tu _____ (envoyer, futur simple) ce paquet par la poste.

3. Ann _____ (haïr, ind. imparfait) ses compagnes de classe.

4. Nous _____ (envoyer, passé simple) nos parents en vacances.

5. Vous _____ (haïr, passé simple) toutes ces disputes inutiles.

6. Le contremaître, en colère, _____ (renvoyer, passé simple) les ouvriers.

7. Je te _____ (haïr, cond. présent) si tu me mentais.

8. Tu _____ (envoyer, futur antérieur) ta lettre avant mon départ.

9. Il _____ (haïr, ind. présent) les retardataires.

10. Il faut que nous _____ (envoyer, subj. présent) des délégués.

11. Nous comprenons tous que vous le _____ (haïr, subj. présent).

12. Il _____ (envoyer, cond. passé) une voiture vous prendre si vous l'aviez prévenu.

13. _____ (haïr, inf. passé) une telle enfant est inexplicable.

14. Pourquoi leur en _____ (envoyer, inf. présent) s'ils possèdent tant d'argent?

15. En _____ (haïr, part. présent) ton prochain, tu manques à la charité.

Activité 174

Écris le verbe au temps demandé.

1. Quand c'est nécessaire, ma mère m'_____ (envoyer, ind. présent) chercher.

2. Mes concitoyens _____ (haïr, ind. présent) ces deux lois.

3. Lorsqu'elle tomba malade, j'_____ (envoyer, passé simple) chercher le médecin.

4. Tu _____ (envoyer, futur simple) prendre ces nouvelles plaques.

5. Nous _____ (haïr, passé composé) ce guide insolent.

6. Vous _____ (haïr, cond. passé) comme nous tous ces dérangements.

7. Pourquoi le _____ (haïr, inf. présent)? Il ne fait que transmettre les ordres.

8. _____ (renvoyer, part. présent) sa secrétaire, la directrice nous reçut.

9. Les deux femmes _____ (envoyer, part. passé) en reconnaissance ne revinrent jamais.

10. Nous _____ (haïr, ind. plus-que-parfait) être obligées de nous déplacer en barque.

11. Il est regrettable qu'on vous _____ (haïr, subj. présent) pour votre sévérité.

12. Les mineurs _____ (renvoyer, ind. présent) l'ascenseur à leurs camarades.

13. Après qu'ils _____ (renvoyer, passé antérieur) le comptable, ils purent s'expliquer.

14. Je _____ (haïr, futur simple) certainement ceux et celles qui me tromperont.

15. Il faut alors qu'ils se _____ (haïr, subj. présent) beaucoup pour en venir aux coups.

Devoir

CONNAISSANCES

Le verbe **DEVOIR** appartient au 3ᵉ groupe. (Voir à la page 19.)

- **Indicatif**

Présent:	Je dois...
Imparfait:	Je devais...
Passé simple:	Je dus...
Futur simple:	Je devrai...
Passé composé:	J'ai dû...
Plus-que-parfait:	J'avais dû...
Passé antérieur:	J'eus dû...
Futur antérieur:	J'aurai dû...

- **Conditionnel**

  | Présent: | Je devrais... |
  | Passé: | J'aurais dû... |

- **Subjonctif**

  | Présent: | Que je doive... |
  | Passé: | Que j'aie dû... |

- **Participe**

  | Présent: | Devant |
  | Passé: | Dû, ayant dû |

- **Infinitif**

  | Présent: | Devoir |
  | Passé: | Avoir dû |

- **À remarquer**

  1) Le verbe **DEVOIR**, au mode impératif, est à peu près inusité.

  2) Le U de DÛ du participe prend toujours un accent circonflexe au masculin singulier.

Activité 175

Écris le verbe **devoir** au même mode et au même temps que chacun de ces verbes.

1. J'éprouvai _____

2. Tu sortais _____

3. Il a conçu _____

4. Nous avions vu _____

5. Vous aurez pris _____

6. Ils eurent su _____

7. Calculant _____

8. Avoir dit _____

9. Rire _____

10. Ayant levé _____

11. Que je connaisse _____

12. Tu participeras _____

13. Elle trouverait _____

14. Nous aurions béni _____

15. Que vous ayez entendu _____

Activité 176

Écris le verbe **devoir** au même mode et au même temps que chacun de ces verbes.

1. Elle écrivit _____

2. Je soulignerai _____

3. Tu posteras _____

4. Nous disions _____

5. Vous avez disparu _____

6. Ils surprirent _____

7. Que tu imagines _____

8. Justifie _____

9. Elle bravera _____

10. Tu dormais _____

11. Elles assumeront _____

12. Elle franchirait _____

13. Nous portâmes _____

14. Vous aviez jugé _____

15. Ils voulurent _____

Activité 177

À quel mode et à quel temps le verbe **devoir** est-il écrit?

	Mode	Temps
1. Il a dû		
2. Que je doive		
3. Tu dois		
4. Nous devrions		
5. Ils devront		
6. Devant		
7. Ayant dû		
8. Tu eus dû		
9. Nous aurions dû		
10. Qu'elles aient dû		
11. Elle devait		
12. Vous devrez		
13. Je dus		
14. Dû		
15. Vous eûtes dû		

À quel mode et à quel temps le verbe **devoir** est-il écrit?

	Mode	Temps
1. Ils ont dû	_____	_____
2. Il dut	_____	_____
3. Vous devez	_____	_____
4. Nous devions	_____	_____
5. Elles doivent	_____	_____
6. Que j'aie dû	_____	_____
7. Tu devrais	_____	_____
8. Devoir	_____	_____
9. Ils auront dû	_____	_____
10. Il eut dû	_____	_____
11. Ils auraient dû	_____	_____
12. Tu avais dû	_____	_____
13. Avoir dû	_____	_____
14. Je devrai	_____	_____
15. Qu'il doive	_____	_____

Activité 179

Écris le verbe **devoir** au temps demandé.

1. _____ (ind. présent)-tu te présenter devant le tribunal?

2. Nous _____ (futur simple) nous associer.

3. On disait que tu _____ (ind. imparfait) expliquer tes intentions.

4. Ne _____ (cond. présent)-vous pas examiner d'autres solutions?

5. On explique aux écoliers qu'ils _____ (subj. présent) mieux écrire.

6. _____ (part. présent) arriver à 6 h, il ne lui reste que dix minutes.

7. Tout cet argent _____ (part. passé) est maintenant perdu.

8. Vous _____ (ind. présent) essayer de nous comprendre.

9. Les bêtes _____ (ind. plus-que-parfait) trouver ailleurs leur nourriture.

10. Les fermiers _____ (futur simple) se méfier des nouvelles méthodes.

11. Votre nourriture _____ (cond. présent) être plus saine.

12. _____ (inf. passé) s'excuser pour avoir fait une bonne action, c'est incompréhensible.

13. Il est bon que les personnes élues _____ (subj. présent) des comptes à leurs électeurs.

14. Je _____ (passé simple) attendre l'autobus suivant.

15. Si tu ne m'avais pas prêté ta bicyclette, j'_____ (cond. passé) rentrer à pied chez moi.

Activité 180

Écris le verbe **devoir** au temps demandé.

1. Devant tant de mauvaise foi, tu _____ (passé composé) t'incliner.

2. Nous _____ (cond. présent) prendre de plus grandes précautions.

3. Myriam _____ (ind. plus-que-parfait) s'installer au salon.

4. _____ (part. passé) tout abandonner derrière elle, elle ne possédait plus rien.

5. Vous _____ (futur simple) vous équiper avant de venir.

6. Que _____ (ind. présent)-je faire pour vous plaire?

7. Les écoliers _____ (futur simple) se soumettre au nouveau règlement.

8. _____ (inf. présent) subir une intervention chirurgicale n'a rien d'agréable.

9. Il se peut qu'elle _____ (subj. présent) démissionner.

10. Nous _____ (passé simple) nous avancer dans ce sentier boueux.

11. Vous _____ (cond. passé) en demander plus.

12. S'ils s'étaient trompés, ils _____ (cond. passé) tout recommencer.

13. Cette fois-là, vous _____ (ind. plus-que-parfait) tout repeindre.

14. Les voisins _____ (ind. présent) faire moins de bruit.

15. Tu _____ (passé composé) être surpris de nous voir à cet endroit.

Pouvoir et voir

CONNAISSANCES

Les verbes **POUVOIR** et **VOIR** appartiennent au 3ᵉ groupe et ils ont des formes irrégulières à certains temps. (Voir le verbe pouvoir à la page 20.)

	Pouvoir	**Voir**
• **Indicatif**		
Présent:	Je peux, tu peux, il peut, nous pouvons vous pouvez, ils peuvent	Je vois, tu vois, il voit, nous voyons, vous voyez, ils voient
Imparfait:	Je pouvais...	Je voyais...
Passé simple:	Je pus...	Je vis...
Futur simple:	Je pourrai...	Je verrai...
Passé composé:	J'ai pu...	J'ai vu...
Plus-que-parfait:	J'avais pu...	J'avais vu...
Passé antérieur:	J'eus pu...	J'eus vu...
Futur antérieur:	J'aurai pu...	J'aurai vu...
• **Conditionnel**		
Présent:	Je pourrais...	Je verrais...
Passé:	J'aurais pu...	J'aurais vu...
• **Impératif**		
Présent:	(Pas d'impératif)	Vois, voyons, voyez
• **Subjonctif**		
Présent:	Que je puisse...	Que je voie...
Passé:	Que j'aie pu...	Que j'aie vu...

- **Participe**

Présent:	Pouvant	Voyant
Passé:	Pu, ayant pu	Vu, ayant vu

- **Infinitif**

Présent:	Pouvoir	Voir
Passé:	Avoir pu	Avoir vu

- **À remarquer**

  1) Le verbe POUVOIR n'a pas d'impératif.

  2) Ces deux verbes du 3ᵉ groupe en **-OIR** ont des terminaisons différentes au passé simple: POUVOIR **(pus)** et VOIR **(vis)**.

  3) Ces deux verbes doublent le **R** au futur simple et au conditionnel présent.

  4) Le verbe VOIR change son radical en VOY aux trois personnes du pluriel de l'indicatif présent et du subjonctif présent, à toutes les personnes de l'imparfait et aux deux personnes du pluriel de l'impératif.

  5) Attention aux trois personnes du singulier du subjonctif présent du verbe VOIR dont les terminaisons sont **-E**, **-ES** et **-E**.

Activité 181

Écris les verbes **voir** et **pouvoir** au même mode et au même temps que les verbes de la colonne de gauche.

	Voir	Pouvoir
1. Je viendrai		
2. Tu bercerais		
3. Elle savait		
4. Que nous ayons		
5. Privant		
6. Connu		
7. J'avais plaint		
8. Ils ont abandonné		
9. Ris		
10. Que j'aie consolé		

	Voir	**Pouvoir**

11. Tu auras commis _____ _____

12. Elle aurait puni _____ _____

13. Avoir déçu _____ _____

14. Je tiens _____ _____

15. Tu mentis _____ _____

Activité 182

Écris les verbes **voir** et **pouvoir** au même mode et au même temps que les verbes de la colonne de gauche.

	Voir	**Pouvoir**
1. Nous lisons	_____	_____
2. Tu buvais	_____	_____
3. Elle connut	_____	_____
4. Qu'ils finissent	_____	_____
5. Tu mourras	_____	_____
6. Elles paraissent	_____	_____
7. Il graverait	_____	_____
8. Elles sentiraient	_____	_____
9. Mangeons	_____	_____
10. Nous frappâmes	_____	_____
11. Vous avez composé	_____	_____
12. Je prendrai	_____	_____
13. Nous surpassions	_____	_____
14. Vous auriez	_____	_____
15. Elles marchèrent	_____	_____

Dis à quel mode et à quel temps sont écrits les verbes **voir** et **pouvoir**.

	Mode	Temps
1. J'ai vu	_____	_____
2. Tu verrais	_____	_____
3. Qu'elle puisse	_____	_____
4. Pouvant	_____	_____
5. Nous voyons	_____	_____
6. Vous avez vu	_____	_____
7. Pouvoir	_____	_____
8. Que nous ayons pu	_____	_____
9. Ils verront	_____	_____
10. J'aurai vu	_____	_____
11. Avoir pu	_____	_____
12. Tu pourras	_____	_____
13. Il eut vu	_____	_____
14. Voyant	_____	_____
15. Ayant vu	_____	_____

Dis à quel mode et à quel temps sont écrits les verbes **voir** et **pouvoir**.

	Mode	Temps
1. Je voyais	_____	_____
2. Nous pouvons	_____	_____
3. Tu avais vu	_____	_____
4. Vous pourrez	_____	_____
5. Ils auront vu	_____	_____
6. Elle eut pu	_____	_____

	Mode	Temps
7. Que vous voyiez	_____	_____
8. Ils peuvent	_____	_____
9. Qu'elles aient vu	_____	_____
10. Nous avions pu	_____	_____
11. Il vit	_____	_____
12. Je pourrai	_____	_____
13. Je pus	_____	_____
14. Ils verraient	_____	_____
15. Tu peux	_____	_____

Activité 185

Écris les verbes au temps demandé.

1. Je _____ (pouvoir, passé simple) me libérer à temps pour assister à la cérémonie.

2. Tu _____ (voir, cond. présent) d'un bon œil cette réalisation.

3. Elle _____ (pouvoir, futur simple) venir comme promis.

4. Nous _____ (voir, passé composé) les troupes défiler.

5. Vous _____ (pouvoir, ind. plus-que-parfait) nous rejoindre au chalet.

6. Dès qu'ils _____ (voir, passé antérieur) tout le spectacle, ils se levèrent et partirent.

7. Je _____ (pouvoir, ind. présent) encore travailler.

8. Tu _____ (voir, ind. imparfait) toutes tes amies te quitter.

9. Elle _____ (pouvoir, futur antérieur) fuir avant l'incendie.

10. Il faut que nous _____ (voir, subj. présent) notre professeure.

11. Il aurait été bon que vous _____ (pouvoir, subj. passé) nous apporter des preuves de cela.

12. Selon vous, ils _____ (voir, cond. passé) l'accident se produire.

13. Ne _____ (pouvoir, part. présent) plus l'endurer, il le chassa.

14. _____ (voir, imp. présent, 2ᵉ pers. du sing.) donc ce qui nous arrive enfin.

15. _____ (pouvoir, part. passé) chausser ses patins, Éliane se joignit à nous.

Activité 186

Écris les verbes au temps demandé.

1. Le paysage _____ (voir, part. passé) ne correspondait pas à celui de la carte postale.

2. Pour profiter de cet instrument, il suffit de _____ (pouvoir, inf. présent) le prendre.

3. Je te _____ (voir, cond. présent) bien dans ce rôle.

4. À présent, tu _____ (pouvoir, ind. présent) te taire.

5. Les officiers _____ (voir, futur simple) à faire respecter le règlement.

6. Il faudrait que je _____ (pouvoir, subj. présent) tout faire à sa place.

7. Ces gens _____ (voir, ind. présent) très bien où il veut en venir.

8. La femme de ménage _____ (pouvoir, passé antérieur) nettoyer avec plus de soin.

9. Ils _____ (voir, passé simple) une boule de feu traverser le ciel.

10. En si peu de temps, tu ne _____ (pouvoir, passé simple) amasser une fortune.

11. Il faut absolument qu'il les _____ (voir, subj. présent).

12. Cette fois, tu _____ (pouvoir, ind. plus-que-parfait) agir à ta guise.

13. On _____ (voir, ind. imparfait) bien que les enfants avaient faim.

14. Je _____ (pouvoir, futur simple) te dépanner pour quelques jours.

15. Vous _____ (voir, inf. passé) passer, je vous aurais arrêté.

194

Chapitre cinquième

L'accord du verbe

L'accord du verbe

Il ne suffit pas de connaître les mécanismes de construction du verbe et les différentes terminaisons propres à chacune des personnes selon le temps et le mode pour se juger capable d'orthographier correctement les verbes... Il faut encore prouver que l'on peut accorder correctement le verbe avec son sujet. Évidemment, la tâche serait simplifiée si ce dernier était toujours un pronom personnel précédant immédiatement le verbe mais ce n'est pas toujours le cas. C'est pourquoi l'écolier et l'écolière doivent apprendre à accorder le verbe non seulement selon la personne mais aussi quand le sujet est le pronom indéfini «on», le pronom relatif «qui», un nom collectif ou quand le sujet est dissimulé derrière un «écran».

On trouvera dans ce 5ᵉ chapitre un ensemble d'activités visant à rendre l'écolier et l'écolière plus habiles à accorder le verbe avec les différentes sortes de sujets que l'on vient d'énumérer.

L'accord du verbe selon la personne du sujet

CONNAISSANCES

Le verbe conjugué s'accorde toujours avec son ou ses sujets. Habituellement, le sujet du verbe est un nom ou un pronom.

> Ex.: <u>Jeanne</u> attend une amie.
> <u>Elle</u> regarde un film.

Pour trouver le sujet du verbe, il faut toujours poser la question QUI EST-CE QUI? ou QU'EST-CE QUI? immédiatement avant le verbe conjugué.

> Ex.: Les écoliers de cette école croient en l'écologie.
> (QUI EST-CE QUI croit en l'écologie? Les écoliers.)

Il faut te souvenir...

A) que le verbe s'écrit à la 3ᵉ personne du singulier si le sujet est un nom au singulier ou un pronom à la 3ᵉ personne du singulier.

> Ex.: Paula dit... Elle dit.

B) que le verbe s'écrit à la 3e personne du pluriel si le sujet est un nom au pluriel ou un pronom à la 3e personne du pluriel. Il s'écrit aussi au pluriel s'il a plusieurs sujets.

Ex.: Les bâtiments sont neufs... Ils sont neufs...
La grange et le garage sont neufs.

C) que le verbe employé à l'impératif n'a pas de sujet exprimé. Celui-ci est habituellement sous-entendu.

Ex.: Ferme la porte.

Activité 187

Accorde le verbe selon la personne du sujet.

1. Écris le verbe à l'indicatif présent.

Prendre le train.

Je _____ le train.   Nous _____ le train.

Tu _____ le train.   Vous _____ le train.

Elle _____ le train.   Ils _____ le train.

2. Écris le verbe à l'indicatif imparfait.

Tenir une valise.

Je _____ une valise.   Nous _____ une valise.

Tu _____ une valise.   Vous _____ une valise.

Il _____ une valise.   Elles _____ une valise.

3. Écris le verbe au futur simple.

Finir des devoirs.

Je _____ des devoirs.   Nous _____ des devoirs.

Tu _____ des devoirs.   Vous _____ des devoirs.

Elle _____ des devoirs.   Ils _____ des devoirs.

4. Écris le verbe au passé simple.

Chercher la route.

Je _____ la route.   Nous _____ la route.

Tu _____ la route.   Vous _____ la route.

Il _____ la route.   Elles _____ la route.

5. Écris le verbe au subjonctif présent.

Il faut que... réussir.

Il faut que je _____ .   Il faut que nous _____ .

Il faut que tu _____ .   Il faut que vous _____ .

Il faut qu'elle _____ .   Il faut qu'ils _____ .

Activité 188

Écris le verbe à l'indicatif présent et accorde-le correctement.

1. Louis _____ (avoir) de bonnes notes.

2. Mon père et Maria _____ (partir) demain.

3. Le couvreur _____ (travailler) bien.

4. Le peintre, le menuisier et même le plombier _____ (refuser) de venir.

5. La force _____ (être) nécessaire.

6. Je _____ (pouvoir) tout refaire à neuf.

7. Tu _____ (arracher) les mauvaises herbes.

8. Elle ne _____ (croire) plus à rien.

9. Nous _____ (reconnaître) vos dons.

10. Vous _____ (dominer) vos adversaires.

11. Elles _____ (exagérer) parfois.

12. L'enfant _____ (pleurer) dans sa chambre.

13. Les émissions se _____ (terminer) trop tôt.

14. La neige et le verglas _____ (rendre) la route dangereuse.

15. Je _____ (craindre) une épidémie.

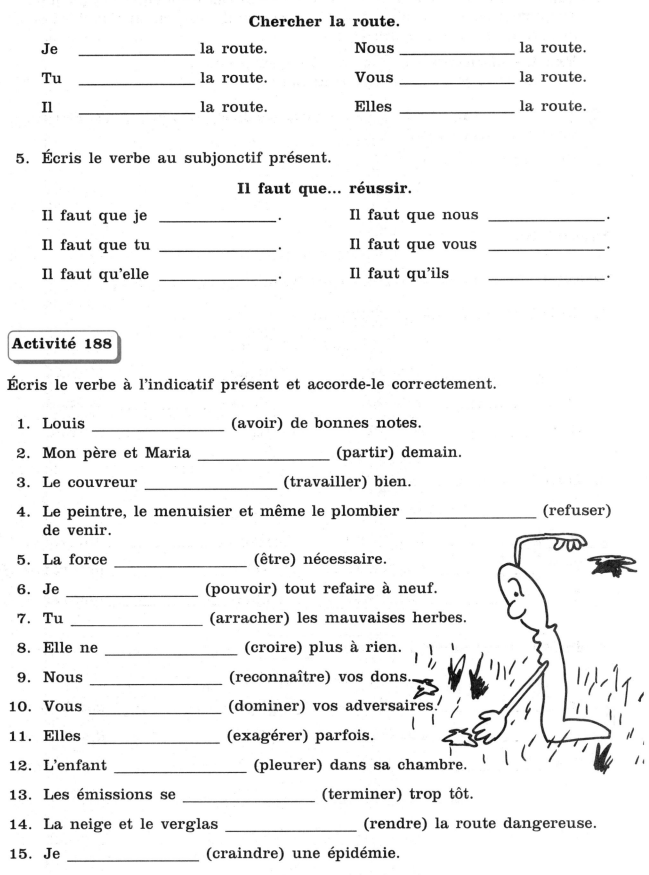

Écris le verbe à l'imparfait de l'indicatif et accorde-le correctement.

1. La course _____ (débuter) à 11 h.

2. Les soins donnés _____ (être) insuffisants.

3. Le toit et les murs _____ (devoir) être réparés.

4. Je me _____ (promener) dans le parc.

5. Tu _____ (dire) des bêtises.

6. Elle _____ (éteindre) la lampe.

7. Nous _____ (connaître) nos limites.

8. Vous _____ (ignorer) tout dans ce domaine.

9. Ils _____ (manifester) leur mécontentement.

10. La première lueur _____ (apparaître).

11. Les dés et les cartes _____ (être) truqués.

12. Tous les pensionnaires _____ (laver) leurs effets personnels.

13. À l'époque, je _____ (réagir) rapidement.

14. Tu _____ (perdre) ton temps.

15. Elle _____ (s'étonner) de leur arrivée imprévue.

Encercle les verbes conjugués et fais une flèche vers leur(s) sujet(s).

Une blague de mauvais goût

L'idée venait de Baronian. La nuit était tranquille dans la petite pièce du bureau central de la police où les reporters attendaient, comme chaque nuit, des nouvelles pour alimenter leur journal. Monique Gingras, Paul Exina et Luc Baronian étaient fatigués de jouer aux cartes.

— J'ai une idée, dit Baronian en laissant tomber ses cartes. On va jouer un tour au vieux Duguay.

Adrien Duguay était le préposé au service de nuit de la morgue municipale située au sous-sol de l'édifice. C'était un vieil homme de près de soixante-dix ans qui avait des gestes lents et un esprit plus lent encore. L'administration ne l'avait pas encore mis à la retraite parce que son travail était facile et parce qu'il avait de lourdes charges familiales.

— Quel tour? demanda avec méfiance Monique Gingras.

Baronian l'expliqua aux deux reporters.

— Je n'aime pas ça. dit Exina. Laisse-le donc tranquille le pauvre vieux.

Mais Baronian adorait les plaisanteries. Il insista tant que les autres finirent par accepter.

Inspiré du récit *Le Farceur* de Robert Arthur

Activité 191

Encercle les verbes conjugués et fais une flèche vers leur(s) sujet(s).

Une blague de mauvais goût (suite)

Les trois reporters descendirent finalement vers la salle sinistre de la morgue où Adrien Duguay attendait la fin de ses heures de travail sans rien faire. Le vieil homme était assis dans son petit bureau. Il ne lisait pas parce qu'il était trop myope.

Le long de l'un des murs de la pièce principale se trouvaient vingt compartiments réfrigérés à une température inférieure à 0 °C, et comme on était dans une grande ville, un bon nombre de ces compartiments étaient occupés par des corps non identifiés.

— Adrien, dit Baronian, on aimerait voir le corps du compartiment 11. Quelqu'un a dit que cette personne pourrait appartenir à la haute société.

Adrien alla jusqu'au compartiment. Il fit glisser la civière après avoir ouvert la porte et il souleva le drap pour montrer le corps aux trois journalistes.

— C'est peut-être lui, dit Monique. Peux-tu nous montrer sa fiche?

Adrien retourna à son bureau en traînant les pieds, suivi par Exina et Monique Gingras. Après avoir regardé la fiche, ils s'excusèrent de l'avoir dérangé. Ce n'était pas la bonne personne.

Inspiré du récit *Le Farceur* de Robert Arthur

Activité 192

Accorde le verbe avec son sujet.

1. Tu _____ (rate, rates) une belle chance.

2. L'affaire _____ (pris, prit) des proportions inquiétantes.

3. Ce n'_____ (était, étaient) pas facile de s'y retrouver.

4. Hélène et Éric _____ (avait fait, avaient fait) de grands projets.

5. Des bruits fâcheux _____ (courait, couraient) à leur sujet.

6. Ses parents _____ (voudrait, voudraient) tout voir.

7. Elles _____ (désigne, désignent) chaque année la gagnante du concours.

8. Tous les membres de la congrégation _____ (accepte, acceptent) son autorité.

9. Le numéro 1 et le numéro 5 _____ (est, sont) sélectionnés.

10. La signature des deux présidents _____ (était, étaient) requise.

11. Le dernier de mes examens ne _____ (vaut, valent) rien.

12. On _____ (aurait, auraient) aimé que vous puissiez le prendre.

13. Les responsables du gala _____ (a, ont) tout organisé.

14. Le livre et sa fiche _____ (a été, ont été) perdus.

15. _____ (porterais, porterait)-tu ce message?

Accorde le verbe avec son sujet.

1. Certaines pages de mon journal _____ (est, sont) illisibles.

2. Sa chevelure et sa barbe _____ (était, étaient) très soignées.

3. Le manteau qu'elle porte _____ (vient, viens) d'un grand magasin.

4. L'horaire des cours _____ (sera, seront) affiché.

5. Elle nous _____ (souhaite, souhaitent) une bonne journée.

6. La durée de ses interventions ne _____ (cesse, cessent) d'allonger.

7. Ce cahier d'activités qui vous _____ (est, sont) offert vous _____ (aidera, aideront).

8. S'il les _____ (regarde, regardent) ainsi, c'est qu'il ne les _____ (reconnaît, reconnaissent) pas.

9. On ne lui _____ (pardonnait, pardonnaient) pas ses erreurs passées.

10. Ceux que nous _____ (inviterons, inviteront) _____ (viendrons, viendront).

11. Céline, déprimée par sa journée de travail, ne _____ (désire, désirent) qu'un peu de repos.

12. Les deux chiens de trait _____ (attaquait, attaquaient) avec courage.

13. Pourquoi ne _____ (pense, pensent)-on jamais à lui?

14. Les pensionnaires de ce collège _____ (regretterait, regretteraient) sûrement cette disparition.

15. La pluie et le vent _____ (chasse, chassent) les plus déterminés.

Accorde correctement les verbes.

┌───┐
│ **Une blague de mauvais goût (suite)** │
└───┘

Monique Gingras et Exina s'en _____ (alla, allèrent) et ils _____ (attendit, attendirent) au bout du couloir la réaction de Duguay à la blague. Ce dernier _____ (rangea, rangèrent) d'abord les fiches puis il _____ (regagna, regagnèrent) ensuite la grande salle. Au moment où il _____ (allait, allaient) repousser la civière dans le compartiment, la forme étendue _____ (s'assit, s'assis) brusquement en poussant un hurlement.

— Vous avez essayé de me tuer, _____ (dis, dit) le revenant.

Adrien _____ (lâcha, lâchas) la civière et se _____ (précipita, précipitas) dans l'escalier. La farce _____ (étais, était) grossière mais ses effets _____ (fit, firent) rire Baronian qui se _____ (dépêcha, dépêchas) de rejoindre les deux autres journalistes dans la salle avant que Duguay et un officier ne _____ (descende, descendent) pour constater ce qui _____ (avait, avaient) pu se passer.

Malheureusement, Adrien Duguay _____ (étais, était) tombé sur le capitaine Dumas, un officier qui n'_____ (avait, avais) aucun sens de l'humour.

— Capitaine, _____ (dis, dit) Duguay en tremblant. Venez vite, l'un des morts _____ (viens, vient) de se réveiller!

Les trois reporters _____ (entendit, entendirent) le capitaine remonter quelques instants plus tard en menaçant Duguay de le faire mettre à la porte si jamais il lui _____ (faisais, faisait) encore une fois un coup semblable. En passant devant la salle des reporters, l'officier, rouge de colère, _____ (adressa, adressas) un signe de menace à Baronian.

Monique et Paul _____ (décida, décidèrent) alors que leur nuit de travail _____ (était, étaient) terminée et ils _____ (partit, partirent), laissant un Luc Baronian rire encore de sa plaisanterie.

Inspiré du récit *Le Farceur* de Robert Arthur

Le sujet on

CONNAISSANCES

«On» est un pronom indéfini habituellement à la 3ᵉ personne du singulier. Il désigne de manière générale une ou plusieurs personnes.

Ex.: On est courageux.

Quand le sujet est **ON**, le verbe s'écrit à la 3ᵉ personne du singulier.

Activité 195

Accorde correctement les verbes.

1. On m'_____ (dire, passé composé) de me taire.

2. Le vieil homme affirmait qu'on _____ (arriver, cond. présent) à la frontière bientôt.

3. Lorsqu'on _____ (chanter, ind. imparfait), c'était un signe qu'on _____ (être, ind. imparfait) heureux.

4. On _____ (trouver, passé simple) une sortie.

5. Puisqu'on y _____ (avoir, ind. présent) droit, pourquoi on n'en _____ (profiter, cond. présent) pas?

6. Si on _____ (savoir, ind. imparfait) ce qui est caché derrière, ce serait facile.

7. On _____ (compter, passé composé) plusieurs centaines de passagers.

8. Dans certaines équipes, on _____ (songer, ind. présent) sérieusement à limiter les inscriptions.

9. Il serait amusant qu'on nous _____ (inviter, subj. présent) à cette fête.

10. On _____ (croire, ind. présent) parfois que tous nous détestent.

11. Que _____ (penser, ind. présent)-t-on de nous?

12. J'aimerais qu'on _____ (unir, subj. présent) nos forces.

13. Depuis quelque temps, on _____ (jurer, cond. présent) qu'il n'a pas toute sa tête.

14. Jusqu'à quel point _____ (pouvoir, ind. présent)-on compter sur elle?

15. On n'en _____ (savoir, ind. présent) rien.

Activité 196

Accorde correctement les verbes.

1. Quand on _____ (chercher, ind. présent) les problèmes, on _____ (finir, ind. présent) toujours par les trouver.

2. On ne _____ (devoir, ind. imparfait) rien révéler avant une semaine.

3. On vous _____ (voir, passé composé) à ce tournoi.

4. Malgré tout, on _____ (espérer, ind. présent) retrouver les trois fugitives.

5. On ne _____ (parler, ind. imparfait) pas assez d'environnement.

6. Après chaque examen, on _____ (comparer, futur simple) nos réponses.

7. J'aimerais qu'on _____ (respecter, subj. présent) la parole donnée.

8. On vous _____ (donner, cond. présent) tout ce dont vous auriez besoin.

9. Qu'_____ (aller, ind. imparfait)-on faire pour tous ces sinistrés?

10. On _____ (travailler, passé composé) trop peu pour réussir.

11. Chez nous, on _____ (se plaindre, ind. imparfait) de la malpropreté du concierge.

12. De plus en plus, on _____ (se concentrer, ind. présent) sur les jeux vidéo.

13. Que _____ (pouvoir, ind. imparfait)-on demander de plus?

14. Du côté des autorités, on _____ (regretter, ind. présent) cette décision.

15. On ne _____ (monter, ind. présent) que quinze minutes au premier cours d'équitation.

Le sujet qui

Le pronom relatif QUI remplace toujours un nom ou un pronom placé habituellement immédiatement avant lui dans la phrase.

Le verbe qui a pour sujet le pronom QUI s'accorde avec le nom ou le pronom que QUI remplace.

Ex.: Les gens qui doutent m'inquiètent. (Qui remplace le mot gens.)

Activité 197

Accorde correctement le verbe, que tu écriras à l'indicatif présent.

1. L'amour qui les _____ (unir) est extraordinaire.

2. Tous les visiteurs qui _____ (voir) cette exposition sont enchantés.

3. C'est moi qui _____ (terminer) le jeu.

4. On dit partout que c'est toi qui _____ (organiser) le tournoi.

5. Ceux qui _____ (admettre) s'être trompés sont honnêtes.

6. Les quatre touristes qui _____ (arriver) viennent du Maine.

7. On reconnaît que c'est lui qui _____ (être) responsable de tout.

8. Les maisons qui _____ (border) cette rue sont délabrées.

9. Je crois que c'est nous qui _____ (pousser) les plus grands cris.

10. Est-ce vous qui _____ (travailler) dans une épicerie?

11. La vendeuse qui me _____ (répondre) est gentille.

12. Les gens qui _____ (répandre) cette histoire sont inconscients.

13. Ceux qui ne _____ (participer) pas doivent quitter le terrain.

14. Les deux autos qui _____ (se suivre) sont identiques.

15. Ce sont mes deux émissions préférées qui _____ (passer) ce soir à la télévision.

Activité 198

Accorde correctement le verbe, que tu écriras à l'indicatif présent.

1. C'est moi qui _____ (prendre) le premier rang de la compétition.

2. Aujourd'hui, c'est toi qui _____ (proposer) cette sortie.

3. Je déteste les enfants qui ne _____ (respecter) pas leurs parents.

4. C'est leur ingratitude qui _____ (causer) tous ces problèmes.

5. La neige qui _____ (tomber) est lourde.

6. Les housses qui _____ (couvrir) les meubles sont grises.

7. C'est encore elle qui _____ (diriger) la manifestation.

8. On espère que c'est moi qui _____ (aller) payer la note.

9. Ce sont les échevins eux-mêmes qui _____ (demander) le vote.

10. On voit bien que les marins qui les _____ (remplacer) n'y connaissent rien.

11. Après vous, c'est nous qui _____ (devoir) descendre de l'autobus.

12. Je crois dans les chances de Danielle qui _____ (faire) toujours bien son travail.

13. Vous qui _____ (avoir) tout devriez donner un peu aux pauvres.

14. On dit que c'est moi qui _____ (être) le coupable.

15. La plupart de celles qui _____ (critiquer) ne font jamais rien.

Le sujet: un nom collectif sans complément

CONNAISSANCES

Un nom collectif est un mot qui représente un groupe.

Ex.: Une troupe.

Quand le sujet du verbe est un nom collectif qui n'est pas suivi d'un complément, le verbe s'écrit au singulier.

Ex.: Une troupe nombreuse arrive.

Accorde correctement le verbe.

1. Un groupe _____ (se trouve, se trouvent) déjà sur les lieux.

2. Il considère la pile qui _____ (monte, montent) déjà jusqu'au plafond.

3. Notre équipe _____ (se présente, se présentent) sur la glace pour gagner.

4. Chaque classe _____ (contient, contiennent) plus de trente élèves.

5. Les abeilles arrivent. Leur essaim _____ (s'abat, s'abattent) sur les fleurs.

6. Les canons tirent une première bordée qui ne _____ (fait, font) aucun dommage.

7. Une foule imposante _____ (a pris, ont pris) place sur la berge.

8. Il est possible que la troupe _____ (soit, soient) appelée en renfort.

9. Les sauterelles ont déjà tout mangé. Pourtant, la nuée _____ (n'est, ne sont) arrivée que la veille.

10. Le peloton _____ (est, sont) sous les ordres d'un jeune lieutenant.

11. Une escouade _____ (encercle, encerclent) la place.

12. Notre compagnie _____ (a, ont) des effectifs incomplets.

13. Le dernier groupe _____ (se place, se placent) en avant.

14. Ces vaches sont belles. Tout le troupeau lui _____ (appartient, appartiennent).

15. Un tas _____ (a été, ont été) laissé près du mur.

Accorde correctement le verbe.

1. Une division blindée _____ (se déplace, se déplacent) vers l'ouest.

2. Une volée _____ (s'abat, s'abattent) sur le champ de maïs.

3. Les insectes sont partout. Une nuée _____ (est, sont) même entrée par la fenêtre.

4. Les malfaiteurs sont nombreux. Une bande organisée _____ (fait, font) des vols chaque nuit dans le quartier.

5. Le cinquième régiment _____ (prend, prennent) position sur la colline.

6. Les ouvriers sont en colère. Une partie _____ (lance, lancent) des pierres sur l'immeuble.

7. Nous savons qu'un vieux couple _____ (refuse, refusent) encore de déménager.

8. Les hirondelles se sont regroupées et leur volée _____ (tourne, tournent) au-dessus des champs.

9. Avec l'amiral Nelson, la flotte _____ (connaît, connaissent) du succès.

10. Nos lacs sont beaux mais un grand nombre _____ (est, sont) pollué.

11. Cette année, la pêche à la morue sera bonne parce que le banc _____ (est, sont) important.

12. Chaque clan _____ (a, ont) ses règles en Écosse.

13. La horde _____ (détruisit, détruisirent) tout sur son passage.

14. Les chiens ont fait des dégâts. Pourtant, la meute _____ (n'était, n'étaient) pas nombreuse.

15. La population a voté et une majorité _____ (a élu, ont élu) les libéraux.

Le sujet suivi d'un complément du nom

Activité 201

Accorde correctement le verbe.

Une nouvelle équipe

Les filles de ma classe _____ (former, passé composé) l'automne dernier une équipe de hockey. Quand Louise Sully, une écolière de 6ᵉ année, _____ (proposer, passé composé) l'idée en octobre, la réaction des élèves _____ (être, passé composé) immédiate: on _____ (trouver, ind. imparfait) l'idée ridicule. Puis, les entretiens de Louise avec un grand nombre de filles _____ (avoir, passé composé) pour conséquence de faire admettre cette idée. Les plus sportives d'entre nous _____ (finir, passé composé) par donner leur nom et _____ (accepter, passé composé) de venir s'entraîner le samedi matin au centre sportif. Le père de l'une des joueuses _____ (proposer, passé composé) ses services comme entraîneur de cette équipe un peu particulière.

Après ces premiers pas, l'organisatrice de cette équipe n'_____ (être, ind. imparfait) pas au bout de ses peines. Les filles de l'école _____ (vouloir, ind. imparfait) des commanditaires et il fallait les trouver. La location du centre sportif et de l'équipement _____ (coûter, ind. imparfait) trop cher et, en plus, on _____ (désirer, ind. imparfait) posséder un chandail original. Heureusement, les professeurs de notre école _____ (faire, passé composé) des pressions auprès de commerçants de notre quartier qui _____ (accepter, passé composé) finalement de nous commanditer.

Accorde correctement le verbe.

Une nouvelle équipe (suite)

C'est de cette manière que l'équipe de Saint-Georges _____ (devenir, passé composé) l'une des six équipes d'un circuit féminin scolaire et toutes les filles de notre formation _____ (être, ind. imparfait) fières d'arborer les couleurs de notre école lors du premier match de l'année. Si, au début de la saison, les partisans de notre équipe _____ (être, ind. imparfait) peu nombreux dans les gradins, peu à peu, les amis de joueuses ainsi que les membres de leur famille _____ (prendre, passé simple) l'habitude d'assister à nos matchs du dimanche après-midi.

Nous n'avons pas remporté beaucoup de victoires mais les progrès de notre équipe _____ (être, passé simple) constants. Le nombre des buts accordés _____ (être, ind. imparfait) toujours plus bas et nous en marquions de plus en plus. Notre gardienne de buts _____ (exceller, ind. imparfait) et l'attaque de nos joueuses d'avant _____ (être, ind. imparfait) de plus en plus imaginative. Finalement, les efforts de tous les membres de notre équipe ne _____ (suffire, passé simple) pas à nous faire participer aux séries éliminatoires. C'était normal puisque notre équipe de hockey _____ (être, ind. imparfait) la plus jeune et la plus inexpérimentée. Après le dernier match, la chambre des joueuses _____ (ressembler, ind. imparfait) à une veillée funèbre jusqu'au moment où Louise, la capitaine, dit: «Cette année, les efforts de chacune _____ (avoir, passé composé) pour résultat que, dorénavant, toutes les élèves de l'école _____ (vouloir, futur simple) faire partie de cette équipe et que, grâce à toutes les joueuses, le hockey féminin _____ (être, ind. présent) populaire à Saint-Georges.»

Le sujet suivi d'un mot en apposition ou d'une relative

CONNAISSANCES

Une apposition est un mot ou un groupe de mots qui apporte des précisions sur le mot précédent.

Ex.: Le Don, un fleuve de Russie, charriait des glaces.

Une proposition relative est un groupe de mots qui commence par un pronom relatif (qui, que, dont, où, lequel, auquel, duquel...).

Ex.: Genny, qui venait d'avoir 11 ans, avait droit à une sortie.

Quand le verbe est séparé de son sujet par un mot en apposition ou par une proposition relative, il s'accorde quand même avec son sujet, malgré la distance qui les sépare.

Activité 203

Accorde correctement le verbe.

1. Papineau, le chef des contestataires, _____ (exigeait, exigeaient) des changements importants.

2. Tous les dossiers qu'on lui remettait _____ (était, étaient) incomplets.

3. Mlle Lacasse, une enseignante de 5e année, _____ (dirige, dirigent) la chorale.

4. Cette vieille dame, qui ne se laissait pas abuser facilement, _____ (fut, furent) trompée dans cette affaire.

5. On s'imagine que les délégués, du moins ceux qui ont droit de vote, _____ (élira, éliront) Mme Dugas.

6. Les gouttes de sueur qui perlaient sur son front _____ (coula, coulèrent) sur ses joues.

7. Bun Dang, un nouvel étudiant de l'école, _____ (excelle, excellent) au soccer.

8. L'enquête qui fut menée à cette occasion _____ (révéla, révélèrent) des coïncidences bizarres.

9. Bertrand, le notaire, et Lemire, le pharmacien, _____ (lutte, luttent) pour un poste à la mairie.

10. Toutes les barques qui n'étaient pas solidement amarrées _____ (fut, furent) entraînées au large.

11. Les bouteilles de vin, celles qui valaient si cher, _____ (a été, ont été) brisées dans le déménagement.

12. Les endroits qu'ils visitèrent _____ (est, sont) cités dans le rapport.

13. Cette maison, un affreux mélange de pierres et de bois, _____ (fut, furent) rasée par l'incendie.

14. Paris, la capitale de la France, _____ (est, sont) le théâtre d'une manifestation.

15. On avait dit que les jouets qui avaient été entreposés _____ (serait, seraient) offerts aux enfants pauvres du quartier.

Activité 204

Accorde correctement les verbes.

1. Le Bergame, un vieux bateau rouillé, _____ (est, sont) en cale sèche à Cherbourg.

2. Le gérant dont la banque a été dévalisée la semaine dernière _____ (a été, ont été) muté ce matin à un nouveau poste.

3. On craint que Gorbatchev, le président de l'U.R.S.S., ne _____ (perde, perdent) les prochaines élections.

4. Tous ceux qui ont remis leur volume dans les délais prévus _____ (sera, seront) récompensés.

5. La BEA, la Banque d'économie alpine, _____ (propose, proposent) des taux d'intérêt très alléchants.

6. Son long discours, qui portait sur les perspectives d'avenir, _____ (ennuyait, ennuyaient) les auditeurs.

7. Déborah, la cadette de la famille, _____ (détestait, détestaient) la viande.

8. Les mesures dont nous avons parlé hier _____ (a été, ont été) adoptées.

9. Il faudrait bien que le stade Marcoux, l'un des plus importants de la province, _____ (soit, soient) rénové.

10. Le Spirit, un nouveau vélo de montagne français, _____ (se vend, se vendent) très bien au Canada.

11. Le règlement 6, celui que vous refusez de respecter, _____ (sera, seront) aboli.

12. L'un des avions impliqués dans l'accident, un Boeing 737, _____ (a dû, ont dû) faire un atterrissage forcé.

13. Aucun des poissons que j'ai pêchés n'_____ (était, étaient) comestible.

14. Mme Durivage, une femme qui avait maintenant près de quatre-vingts ans, _____ (voulait, voulaient) prendre part à cette activité épuisante.

15. L'un des objets que vous avez dissimulés dans votre sac ne vous _____ (appartient, appartiennent) pas.

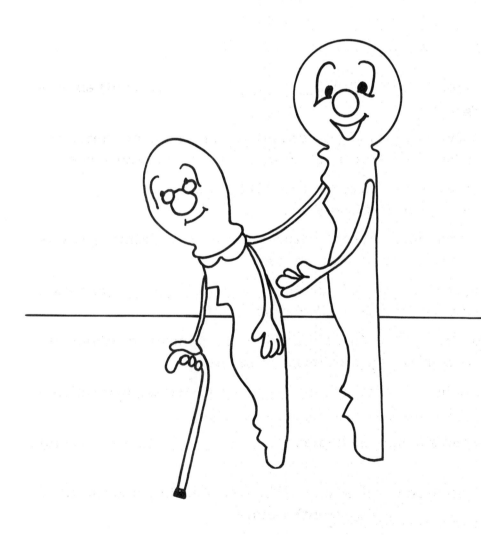

Chapitre sixième

L'accord du participe passé

L'accord du participe passé

Comme l'une des sources importantes des erreurs orthographiques de l'écolier est l'accord du participe passé et la distinction de ce dernier avec l'infinitif des verbes du 1er groupe, il nous a semblé logique de consacrer un court chapitre à ces notions. Cependant, nous ne traiterons que du participe employé seul ou avec l'auxiliaire **être** parce que ce sont les seules notions retenues par les concepteurs du programme du second cycle du cours primaire.

Les activités offertes dans ce chapitre permettront à l'écolier et à l'écolière d'établir d'abord une distinction entre l'infinitif et le participe passé des verbes du 1er groupe. Ensuite, ils auront l'occasion d'acquérir une certaine maîtrise de deux règles d'accord du participe passé.

La distinction entre é et er

CONNAISSANCES
. . . .

Quand deux verbes se suivent, le second se termine par ER si c'est un verbe du 1er groupe.

   Ex.: Elle laisse sécher des fleurs.

Si un verbe du 1er groupe est précédé d'une préposition (à, de, pour, sans, de, par, avec...), il se terminera par ER.

   Ex.: Il cherche à raconter son aventure.

Dans tous les autres cas, le son «é» s'écrit EZ, É, ÉE, ÉS ou ÉES.

À remarquer

Les auxiliaires AVOIR et ÊTRE placés devant un verbe ne sont jamais considérés comme un premier verbe. Ils sont une partie de ce verbe.

   Ex.: Elle a conjugué. (Conjugué n'est pas le 2e verbe.)

Écris ces verbes au participe passé et à l'infinitif présent.

	Participe passé	Infinitif présent
1. Il profite		
2. Tu aimais		
3. Nous exigeons		
4. Vous existez		
5. Il remarque		
6. Je pousserai		
7. Elles loueront		
8. Tu gagerais		
9. Il note		
10. Qu'il essaie		
11. Nous lavions		
12. Vous essuierez		
13. Elles gênaient		
14. Pense		
15. Je confiai		

Écris É, ÉS, ÉE, ÉES, EZ ou ER.

É, ÊS, ÉE,
ÉES, EZ ∾ ER

Une blague de mauvais goût (suite)

Au moment où Baronian allait s'en all_____ , Adrien Duguay apparut dans la salle des reporters.

— Vous n'auri_____ pas dû me tromp_____ , M. Baronian, dit le vieil homme. L'officier m'a averti qu'il me ferait congédi_____ si jamais cela se reproduisait.

Baronian lui dit de ne plus y pens_____ et il sortit pour rentr_____ chez lui. Il était près de 4 h du matin et le journaliste se mit à march_____ à grands pas pour évit_____ de faire des mauvaises rencontres. Le quartier était plutôt mal fréquent_____. Brusquement, au coin d'une ruelle, deux individus surgirent devant lui. L'un d'eux lui demanda de vid_____ ses poches. Fâch_____ de voir le pauvre butin de leur vol, les deux rôdeurs se mirent à frapp_____ Baronian. Ce dernier se défendit. Ce n'était pas une mauviette et il avait fait partie de l'équipe de football de son université jusqu'au moment où un accident bête avait mis fin à sa carrière. Il s'était fractur_____ de nombreuses vertèbres lors d'un entraînement.

Baronian savait qu'appel_____ à l'aide ne servirait à rien dans ce quartier mal fréquent_____. Il se battit farouchement et il l'aurait peut-être emport_____ si son pied gauche n'avait pas gliss_____ dans une flaque. Il perdit alors pied et sa tête alla heurt_____ le ciment du trottoir. Il perdit conscience. Quand il revint à la réalité, il entendit la voix de l'un des deux malfaiteurs: «On l'a tu_____! Il ne bouge plus et ses yeux sont ouverts. Viens!» Immédiatement, Baronian sut ce qui lui était arriv_____. Il s'était fractur_____ les mêmes vertèbres que lors de l'entraînement. Il voyait, il entendait mais il était incapable de boug_____ ne serait-ce qu'un cil.

Inspiré du récit *Le Farceur* de Robert Arthur

Activité 207

Écris É, ÉS, ÉE, ÉES, EZ ou ER.

┤ Une blague de mauvais goût (suite) ├

Ce qui avait tir_____ Baronian de son inconscience, ce fut d'abord la lueur rouge projet_____ par le phare giratoire de l'ambulance. Il entendit l'un des policiers plac_____ à ses côtés dire aux ambulanciers qui venaient d'arriv_____:
— Ne vous press_____ pas les gars. Il est trop tard. Il est mort. On a essay_____ de savoir qui c'était mais on lui a vol_____ ses cartes d'identité. J'ai l'impression qu'on a trouv_____ un nouveau client pour le père Duguay.

Baronian fit des efforts désespér_____ pour parl_____ ou boug_____ mais il ne se produisit rien. Il était paralys_____. Les deux ambulanciers le placèrent sur une

217

civière et le conduisirent à la morgue du bureau central. En entrant dans la grande salle de la morgue, le journaliste était domin_____ par une terreur sans nom. Il ne lui restait qu'une chance, celle qu'Adrien Duguay le reconnaisse avant de ferm_____ sur lui définitivement le tiroir d'un compartiment. Il avait beau se dire que le vieux ne pouvait faire autrement que de l'identifi_____, trop de choses pouvaient encore arriv_____.

La civière fut dépos_____ dans la salle et les deux ambulanciers l'abandonnèrent aux mains expériment_____ d'Adrien Duguay. Le vieil homme prit tout son temps pour remplir la fiche d'entrée de son nouveau client, puis il déshabilla Baronian et l'étendit sur la civière du compartiment 6. Il disparut quelques instants pour all_____ cherch_____ un drap pour couvrir le corps.

Quand le vieillard revint, Baronian puisa au fond de ses dernières forces tant sa panique était grande. Il finit par croass_____.

— M. Duguay! M. Duguay, c'est moi, Luc Baronian! Je ne suis que bless____. Appel_____ un médecin pour me soign_____. Je ne suis pas mort. Mes vertèbres m'empêchent de boug_____.

Adrien Duguay sursauta en entendant ces paroles prononc_____ si difficilement. Puis, il sembla identifi_____ la personne qui venait de parl____ et un air de reproche se répandit sur son visage fatigu_____. Tout en étendant soigneusement le drap propre sur Baronian, le vieil homme dit:

— Ah Non! M. Baronian, pas deux fois dans la même nuit. Je vous l'ai dit tout à l'heure dans votre salle. Le capitaine a promis de me faire congédi_____ si je le dérangeais une autre fois pour rien.

Puis, tout doucement, Adrien Duguay repoussa la civière dans le compartiment réfrigér_____ dont il ferma soigneusement la porte. Ensuite, il regagna lentement son petit bureau, persuad_____ d'avoir échapp_____ à une autre blague de ce journaliste.

Inspiré du récit *Le Farceur* de Robert Arthur

Écris É, ÉS, ÉE, ÉES, EZ ou ER.

1. Je vous laisserai pass_____ une seconde fois.

2. Les timbres achet_____ dans ce magasin avaient été coll_____ dans son album.

3. L'article publi_____ dans le journal avait été dénonc_____.

4. On a accept_____ de les tir_____ de ce mauvais pas.

5. Si vous ten_____ à relev_____ ce défi, ne vous gên_____ pas.

6. Arriv_____ si tard est une insulte.

7. Comment compos_____ un texte sans se tromp_____ ?

8. Vous vous propos_____ encore de voyag_____ dans ces régions éloi-gn_____.

9. Anna a consol_____ sa petite sœur qui était tomb_____.

10. Puisque vous ne sav_____ pas ce qui est donn_____, je vais vous le montr_____.

11. Il avait fracass_____ tous les pots trouv_____ dans le sous-sol.

12. J'aurais souhait_____ hurl_____ cette fois-là.

13. Inspir_____ par le récit de Paul, Jacques essaya de l'imit_____.

14. Si vous cess_____ de vous gratt_____, vous sentir_____ moins la douleur.

15. Ils ont encore tent_____ de pass_____, mais cela n'a pas fonctionn_____.

Écris É, ÉS, ÉE, ÉES, EZ ou ER.

1. Ils pensent respir_____ de l'air purifi_____ dans cette région.

2. L'eau pollu_____ sera analys_____ dans un laboratoire spécialis_____.

3. Les policiers ont cern_____ tout le quartier.

4. Elle espère nous montr_____ des poupées achet_____ dans cette boutique.

5. Ce cycliste bless_____ a demand_____ à être hospitalis_____.

6. Ils commencent déjà à fouill_____ toutes les maisons abandonn_____.

7. Tu devras recommenc_____ l'examen rat_____.

8. Pourquoi jet_____ ce qu'on pourrait répar_____.

9. Vous accept_____ de nous prêt_____ tout votre matériel.

10. Arrêt_____ donc de vous bagarr_____.

11. Assomm_____ par cette nouvelle, Andrée n'a plus le goût de parl_____.

12. L'évier bouch_____ a été répar_____ par un homme compétent.

13. Elle essaie d'attir_____ toutes celles qui sont intéress_____.

14. Je veux écout_____ ses plaintes et tent_____ de la rassur_____.

15. C'est une affaire embrouill_____ qu'on peut solutionn_____.

Le participe passé employé sans auxiliaire

CONNAISSANCES

Le participe passé employé sans auxiliaire s'accorde en genre et en nombre avec le mot auquel il se rapporte.

Ex.: Les objets oubliés m'appartiennent.

Cette sorte de participe passé est identique à l'adjectif qualificatif et, comme lui, il s'accorde avec le nom.

Il est important que tu te rappelles que le participe passé des verbes

- du 1er groupe (en **ER**) se termine par **É**.
- du 2e groupe (en **IR** faisant **ISSAIS** à l'imparfait) se termine par **I**.
- du 3e groupe (en **ENDRE, AÎTRE, IR, OIR, OUDRE**, etc.) se termine par **U** (OIR, IRE, AÎTRE, OUDRE), **AIT** (AIRE), **UIT** (UIRE), **IS** (ENDRE, ETTRE), **I** (IR), **AINT** (AINDRE), **EINT** (EINDRE) et **ERT** (IR).

Activité 210

Donne le participe passé des verbes suivants.

1. Comprendre _____   9. Rire _____

2. Naître _____   10. Éduquer _____

3. Voir _____   11. Vérifier _____

4. Ternir _____   12. Évaluer _____

5. Apercevoir _____   13. Apparaître _____

6. Tenir _____   14. Mentir _____

7. Chanter _____   15. Juger _____

8. Dénoncer _____

Activité 211

Donne le participe passé des verbes suivants.

1. Asseoir _____   9. Prendre _____

2. Admettre _____   10. Nourrir _____

3. Sauter _____   11. Encourager _____

4. Gémir _____   12. Lire _____

5. Sentir _____   13. Évaluer _____

6. Planer _____   14. Roussir _____

7. Rougir _____   15. Vouloir _____

8. Devoir _____

Activité 212

Donne le groupe de chacun de ces verbes.

1. Construit _____   9. Démis _____

2. Perdu _____   10. Lancé _____

3. Jugé _____   11. Fini _____

4. Séduit _____   12. Ressenti _____

5. Venu _____   13. Dissous _____

6. Lié _____   14. Allumé _____

7. Fait _____   15. Reçu _____

8. Apparu _____

Activité 213

Identifie le groupe de chacun de ces verbes.

1. Placé _____
2. Résolu _____
3. Conduit _____
4. Paru _____
5. Puni _____
6. Traité _____
7. Nié _____
8. Suffi _____

9. Pu _____
10. Écrit _____
11. Suivi _____
12. Vécu _____
13. Mort _____
14. Cassé _____
15. Défait _____

Activité 214

Encercle le participe passé et fais une flèche vers le mot avec lequel il s'accorde.

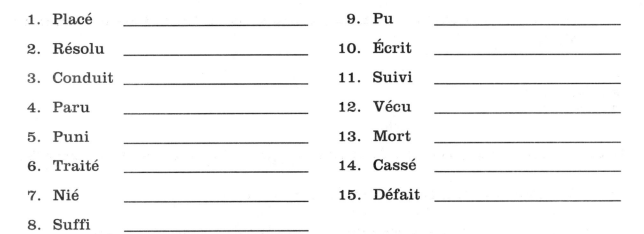

1. Elles amassaient les vêtements jetés à la poubelle.

2. Ces critiques répétées l'incommodent.

3. Les gens visés étaient mal à l'aise.

4. On apprécie tous les endroits visités.

5. Ma mère se méfie des plats cuisinés par cette femme.

6. Les textes composés par Lise sont les meilleurs.

7. Les problèmes engendrés par cet incident furent nombreux.

8. Les bêtes soignées par le vétérinaire étaient très mal en point.

9. Affamée, sa chatte attendait l'arrivée de sa maîtresse.

10. On rejette à l'eau tous les poissons pêchés dans cette rivière.

11. Ce livre lu par la plupart de mes amis raconte une aventure captivante.

12. Le ménage fait, il put enfin se reposer.

13. Les excursions faites dans cette région durent en moyenne deux jours.

14. Le gouvernement a besoin des taxes prélevées sur ces produits.

15. On vend maintenant les feuilles récupérées dans les différents bureaux.

Activité 215

Encercle le participe passé et fais une flèche vers le mot avec lequel il s'accorde.

1. Un organisme accueille les femmes désespérées.

2. Les journées passées à regarder la télévision sont des journées perdues.

3. On profite encore du service des personnes disparues.

4. Les sommes allouées ne suffisent pas à combler nos besoins.

5. Les invités s'approchèrent de la table mise.

6. Comment contester une entente conclue dans ces conditions?

7. Les documents écrits restent comme preuve.

8. Les jeux vendus dans ce magasin sont de mauvaise qualité.

9. Il regardait avec désolation la voiture rouillée stationnée devant sa porte.

10. On remplace maintenant les accessoires brisés lors de l'expérience.

11. Chaque personne conduite à l'aéroport doit payer quinze dollars.

12. Les objets non identifiés doivent l'être sinon on les confisquera.

13. C'est une Éliane tout étonnée qui nous arrive.

14. Pourquoi les activités planifiées ne peuvent-elles avoir lieu?

15. Déçu par l'absence de ses cousins, Luc retourna chez lui.

Activité 216

Accorde correctement les participes employés sans auxiliaire.

1. Elle pensait à toutes les misères supporté_____ durant son séjour au Cambodge.

2. Certains efforts consenti_____ n'ont rien donné.

3. Intéressé_____ par l'astronomie, Nicole prend des cours dans ce domaine.

4. Peint_____ par un peintre sans expérience, ces murs sont laids.

5. La cheminée, emporté_____ par le vent, s'écrasa sur le toit de la remise.

6. Craint_____ par ses employés, le directeur en profitait largement.

7. Les filles, attiré_____ par ce spectacle rare, voulaient toutes entrer.

8. Cette partie, gagné_____ par un score de 2 à 1, allait leur redonner confiance.

9. Depuis longtemps, elle voyait ses meilleurs amis réduit_____ à la misère.

10. Une pierre lancé_____ par un gamin atterrit près de sa tête.

11. Décimé_____ par les récents combats, les troupes se replièrent.

12. Les voyageurs alerté_____ par ces cris essayèrent de voir ce qui se passait.

13. Les remous causé_____ par ce naufrage causèrent plusieurs noyades.

14. Les jeunes, séduit_____ par ces îles éloigné_____, cherchaient à s'y installer.

15. La tente planté_____ au bas de la pente est mal située.

Activité 217

Accorde correctement les participes employés sans auxiliaire.

1. Le lit défait_____ indiquait clairement qu'une personne y avait couché.

2. On le força à retirer les objets mis_____ dans son pupitre.

3. Une personne aussi précis_____ ne devrait pas commettre ce genre d'erreur.

4. Happé_____ par l'autobus, l'enfant glissa sous les roues du véhicule.

5. Les précautions pris_____ dans cette affaire suffisent.

6. L'enquête mené_____ par cet inspecteur n'aboutit pas.

7. Il suffisait de lire les directives écrit_____ au dos de la boîte.

8. Le trophée remis_____ à la gagnante était magnifique.

9. Terni_____ par l'usage, ces ustensiles doivent être nettoyés.

10. Vu_____ par des milliers de personnes, la colonne de fumée a envahi tout le quartier.

11. Les cheveux teint_____ en mauve sont visibles de loin.

12. Le professeur remarqua immédiatement les pages arraché_____ au dictionnaire.

13. Il nous faut des gens décidé_____ à travailler fort.

14. Le voyage prévu_____ ne se fit jamais.

15. Sa colère feint_____ ne trompa personne.

Activité 218

Accorde correctement les participes passés employés sans auxiliaire.

Carlos

Venu_____ du Guatemala, Carlos et sa sœur Maria se sont installés chez un oncle l'an dernier à Montréal. Les difficultés rencontré_____ pour immigrer au Canada ont profondément marqué ce garçon de 11 ans. Les larmes aux yeux, il parle de ses parents et de ses amis laissé_____ derrière lui dans son pays natal.

Avant la guerre, sa famille vivait dans une petite ferme situé_____ dans une région isolé_____ du pays. Mais une nuit, des guérilleros sont apparus. La famille, chassé_____ de la maison, a vu cette dernière et la grange rasé_____ par les flammes et les bêtes abattu_____. La troupe d'une vingtaine d'hommes a forcé le père de Carlos et l'aîné de ses frères à la suivre, laissant Carlos, Maria et sa mère abandonné_____, sans secours. Soutenu_____ et nourri_____ par le curé de leur paroisse durant plusieurs mois, ils ont finalement décidé d'aller s'établir dans une ville voisine. Après plusieurs jours de démarches, la mère et ses deux enfants ont finalement pu trouver refuge dans une vieille cabane abandonné_____ mais il restait le problème de la nourriture. La mère de Carlos put enfin trouver un emploi comme plongeuse dans un restaurant mais le maigre salaire rapporté_____ à la maison ne permettait pas aux deux enfants de poursuivre les études commencé_____ dans leur village. Pour se nourrir, la famille avait besoin des quelques sous gagné_____ par Carlos et Maria qui ciraient les chaussures des voyageurs, au terminus d'autobus.

Le participe passé employé avec l'auxiliaire être

CONNAISSANCES

Le participe passé employé avec l'auxiliaire ÊTRE et les verbes SEMBLER, DEVENIR, PARAÎTRE et RESTER s'accorde en genre et en nombre avec le sujet du verbe.

Ex.: La cause était entendue.
La mer semble agitée.

Activité 219

Accorde correctement les participes passés.

1. Les agents sont venu_____ vérifier.

2. Le sommet de la montagne était caché_____ par les nuages.

3. La neige est tombé_____ trop tôt pour nous permettre d'en profiter.

4. Ces paroles furent dit_____ sur un ton enjoué.

5. Ces sommes furent perçu_____ lors d'une campagne de financement.

6. Mes travaux sont fait_____ et j'en suis fière.

7. L'herbe était calciné_____ à cet endroit.

8. Les directeurs restaient caché_____.

9. Les secrets semblaient dorénavant découvert_____ et il ne servait à rien d'attendre.

10. La dame parut étourdi_____ par le choc.

11. Les dangers qui sont affronté_____ valent la peine.

12. Elle serait étonné_____ d'apprendre la vérité.

13. Il faut que ces êtres soient condamné_____ à des peines de prison.

14. Ces deux maisons ont été vendu_____ à un étranger.

15. Les produits qui vous sont proposé_____ sont d'une excellente qualité.

Accorde correctement les participes passés.

1. Les berges sont plus fréquenté_____ depuis qu'elles ont été nettoyé_____.

2. Elles sont contraint_____ de se retirer.

3. Les facilités qui sont offert_____ par l'agence sont extraordinaires.

4. Elles restèrent marqué_____ durant plusieurs années.

5. Le temps écoulé_____ n'a pas été retenu_____ comme une excuse valable.

6. Plusieurs tonnes de marchandises volé_____ ont été saisi_____ par les douaniers.

7. À ce prix, l'objet est peu coûteux parce que les piles sont fourni_____.

8. L'auto était conduit_____ par l'aînée de ses filles lors de l'accident.

9. Des chambres ont été mis_____ à la disposition des voyageurs perdu_____.

10. Les appels répété_____ qui ont été entendu_____ hier signifient que l'heure est venu_____.

11. Il n'y a eu que deux candidatures qui ont été retenu_____ pour ce poste.

12. Ces concours sont organisé_____ par des spécialistes qui sont bien connu_____.

13. Ils sont tous parvenu_____ à faire une croisière l'hiver dernier.

14. Les deux demoiselles semblaient perdu_____ dans cette foule.

15. Ces pièces de monnaie furent frappé_____ l'an dernier.

227

Accorde correctement les participes passés.

┤ **Caroline** ├

Caroline est enfin arrivé_____ de sa Gaspésie natale. Elle est excité_____ à l'idée de rencontrer bientôt Maureen, une écolière de 6e année avec qui elle correspond depuis six mois. Elle est un peu étourdi_____ par tout le bruit de l'aéroport d'Ottawa où elle vient de descendre d'avion et elle cherche des yeux celle qui est censé_____ l'attendre.

Quand Mme Campeau était intervenu_____ au mois de septembre pour qu'elle écrive à Maureen, Caroline l'avait fait sans trop d'enthousiasme. Elle était persuadé_____ qu'elle perdait son temps à écrire en anglais à une fille qui avait de la difficulté à la comprendre. Mais peu à peu, des liens d'amitié s'étaient créé_____ entre les deux filles et on finit par parler de possibilité d'un échange. Caroline irait passer une semaine à Ottawa, dans la famille de Maureen, et cette dernière viendrait passer une semaine, en juillet, à Gaspé. Mme Campeau avait tout de suite semblé intéressé_____ par cette proposition fait_____ à son élève et, comme elle savait que ses parents n'avaient pas les moyens financiers de payer le billet d'avion, elle s'était débrouillé_____ pour trouver un commanditaire. C'est ainsi que le rêve de Caroline s'était réalisé_____.

Au moment où elle allait s'inquiéter de ne voir personne, une grande fille brune s'était glissé_____ à ses côtés et s'était présenté_____ après l'avoir embrassée. Maureen s'était ensuite dirigé_____ avec son amie vers sa mère qui les attendait près de l'endroit où les bagages des voyageurs avaient été déposé_____.

La voiture les déposa à Vanier, une banlieue de la capitale nationale. Tout d'abord, Caroline fut émerveillé_____ par la riche maison de son amie. Les pièces étaient grandes et bien aéré_____. Elle partagerait la chambre de Maureen. Après avoir rangé ses affaires dans le placard, elle fut présenté_____ au père et au frère de son hôtesse qui semblaient enchanté_____ par son accent français quand elle s'exprimait. Après un souper rapide, Maureen et Caroline furent amené_____ le long du canal Rideau et la petite Québécoise put admirer l'un des plus beaux endroits de la capitale.

Accorde correctement les participes passés.

┌─ **Caroline (suite)** ─┐

Les jours suivants, Caroline fut invité_____ à partager les cours que son amie recevait à son école et elle participa même à la visite du parlement et à celle du musée de la guerre, en compagnie des autres élèves de la classe. Inutile de dire que l'écolière était enchanté_____ de l'accueil reçu_____. Partout où elle allait, elle était accueilli_____ comme une fille du groupe. Pour leur part, les parents de Maureen consacrèrent deux journées à leur invitée. Ces deux jours furent voué_____ à la visite de la Maison Laurier et au domaine Mackenzie King. Elle fut surpris_____ de voir que ces deux sites renfermaient autant de belles choses. Bien sûr, elle s'était préparé_____ avant son départ pour l'Ontario en lisant des documents sur Ottawa et ses richesses, mais les fascicules lu_____ ne décrivaient pas toutes les beautés présenté_____ par la ville.

Le dernier soir d'une semaine qui était trop vite passé_____ fut mémorable. La permission fut accordé_____ aux deux filles d'aller visiter le marché Byward et d'assister à une petite fête qui était organisé_____ par les filles de la classe en l'honneur de Caroline qui devait partir très tôt le lendemain matin. Tout au long de la soirée, des plaisanteries furent échangé_____, des chansons furent chanté_____ et des promesses de se revoir furent exprimé_____. Ce n'est que vers minuit que le père de Maureen vint chercher les deux filles et il ne put partir qu'après avoir mangé un morceau du gâteau qui avait été confectionné_____ pour la petite Québécoise.

À 8 h, le samedi matin, Caroline était monté_____ à bord de l'avion après avoir embrassé tous les membres de la famille venu_____ la reconduire à l'aéroport. En prenant place sur son siège, elle était persuadé_____ qu'une grande amitié était né_____ entre elle et Maureen qu'elle venait de quitter sur la promesse qu'elle l'attendrait avec impatience le 3 juillet à l'aéroport de Gaspé. Durant le trajet de retour, sa pensée était occupé_____ à revivre tous les souvenirs de cette semaine magnifique. Évidemment, la nourriture qui lui avait été servi_____ aurait fait bondir sa mère qui était une végétarienne convaincu_____ mais elle ne serait pas obligé_____ de lui en parler... Il lui restait même deux mois pour la préparer à l'idée que Maureen était plus attiré_____ par les viandes que par les légumes et les fruits. Déjà, des projets étaient formé_____ pour rendre la semaine de visite de la petite Ontarienne aussi intéressante que celle qui avait été offert_____ à Caroline.

Chapitre septième

Les homophonies

Les homophonies

Il est fréquent que l'écolier et l'écolière commettent des erreurs en écrivant le verbe à cause d'homophonies. Ces erreurs sont habituellement assez faciles à éviter quand ils se donnent la peine d'appliquer les connaissances qu'ils possèdent sur le verbe. De toute évidence, l'inattention est le plus souvent la grande responsable de cette faiblesse.

Nous avons décidé d'offrir dans ce court chapitre quelques activités pour inciter l'écolier et l'écolière à être attentifs aux cas d'homophonies. Il serait aussi très intéressant qu'ils considèrent les exercices comme de petites épreuves où leur habileté à différencier les divers cas est mise à l'épreuve.

Le son «e»

CONNAISSANCES

Le son «e» revient à la fin des verbes de tous les groupes à différents temps.

- Il s'écrit E habituellement à la 1re et à la 3e personne du singulier.
- Il s'écrit ES à la 2e personne du singulier.
- Il s'écrit ENT à la 3e personne du pluriel.

Souviens-toi aussi qu'il s'écrit E à la 2e personne du singulier de l'impératif présent des verbes du 1er groupe.

Activité 223

Écris correctement le son «e».

1. Pour qu'il accept_____ de te noter, il faut que tu finiss_____ ce travail.

2. Que mang_____-tu de si bon?

3. Elle jett_____ tout ce qui lui tomb_____ sous la main.

4. Ils répar_____ encore une fois ce chalet.

5. Il faut qu'elle cach_____ elle-même les dégâts.

6. Pens_____ un peu à ceux qui dirig_____ ce centre.

7. Ils veul_____ qu'elle sent_____ l'arôme de ce rôti.

8. On n'hésit_____ jamais lorsque tu demand_____ de l'aide.

9. Qu'on le veuill_____ ou pas, je rest_____.

10. La poursuite qu'il souhait_____ risqu_____ d'être brève.

11. On exig_____ encore que j'aill_____ replacer les marchandises.

12. Tu exagèr_____ et tu ne l'ignor_____ pas.

13. On plac_____ tous les madriers que tu pos_____.

14. Ils traîn_____ sur le bord des chemins qui mèn_____ aux villages.

15. Regard_____ tout ce qui pass_____.

Activité 224

Écris correctement le son «e».

1. Qu'elles lis_____ ou qu'elles écriv_____, il leur faut un climat de calme.

2. Les paroles qu'ils dis_____ nous surprenn_____ beaucoup.

3. Arrêt_____ de te ronger les ongles.

4. Coup_____-les pour moi.

5. Lorraine press_____ ses amis qui ne veul_____ rien faire.

6. Qu'ils fass_____ des efforts pour se sortir du pétrin.

7. Nos produits se vend_____ bien depuis un mois.

8. Ils n'attendront pas que les enfants se bless_____ pour intervenir.

9. Tu estim_____ encore qu'ils doiv_____ se reposer.

10. On aim_____ que tu achemin_____ nos demandes.

11. Il a fallu qu'il terniss_____ notre réputation.

12. On veut qu'elles mett_____ des espadrilles dans ce gymnase.

13. On estim_____ à plusieurs milliers de dollars cette maison qu'ils construis_____.

14. Anne aimerait que tu choisiss_____ un responsable.

15. Qu'on attend_____ encore ou qu'on se mett_____ en route, cela ne changera rien.

Le son «i»

CONNAISSANCES
• • • • • • • • • • •

Le son «i» se retrouve à la fin des verbes de tous les groupes.

• I s'écrit surtout au participe passé des verbes du 2ᵉ groupe et des verbes du 3ᵉ groupe en IR.

• IS termine les verbes du 2ᵉ groupe à la 1ʳᵉ et à la 2ᵉ personne du singulier de l'indicatif présent, les verbes en IR du 2ᵉ et 3ᵉ groupe à la 1ʳᵉ et à la 2ᵉ personne du singulier du passé simple et le participe passé des verbes en ENDRE au masculin singulier et des verbes en IR au masculin pluriel.

• IT termine les verbes du 2ᵉ groupe à la 3ᵉ personne du singulier de l'indicatif présent et du passé simple ainsi que les verbes en ENDRE, RE et IR du 3ᵉ groupe à la 3ᵉ personne du singulier du passé simple.

• IE termine les verbes en IER du 1ᵉʳ groupe à la 1ʳᵉ et à la 3ᵉ personne du singulier de l'indicatif présent et du subjonctif présent ainsi que le participe passé des verbes en IR au féminin pluriel.

• IENT termine les verbes du 1ᵉʳ groupe en IER à la 3ᵉ personne du pluriel de l'indicatif présent et du subjonctif présent.

• ÎT termine les verbes des 2ᵉ et 3ᵉ groupes en IR à la 3ᵉ personne du singulier du subjonctif imparfait.

Écris correctement le son «i».

1. Des liens d'amitié les li_____ .

2. Elle vi_____ une véritable histoire d'amour.

3. Elle se ri_____ de tout ce qui peut lui arriver.

4. Nos comptables vérifi_____ les comptes.

5. Le directeur admi_____ qu'on avait commi_____ une erreur.

6. Le message émi_____ a été transmi_____ à qui de droit.

7. Je vous remerci_____ pour votre collaboration.

8. Saisi_____ par la crainte, il ne dormi_____ pas de la nuit.

9. Les émotions ressenti_____ à cette occasion furent très fortes.

10. Fini_____ d'abord tes vacances.

11. Je l'ai di_____ à tous ceux qui ont promi_____ leur appui.

12. Les pièges qu'ils ont mi_____ n'ont servi_____ à rien.

13. Qui avez-vous surpri_____ ?

14. Elles ont été puni_____ pour ne pas avoir averti_____ leurs parents.

15. Tout ce qu'elle fi_____ ne servi_____ à rien.

Écris correctement le son «i».

1. Il a fallu qu'Isabelle tri_____ tout le courrier remi_____ par la dame.

2. Le vieil homme a maudi_____ tous ceux qui lui avaient nui_____ .

3. Je me fi_____ à cet article écri_____ dans la revue scientifique.

4. Assi_____ à l'ombre, André a attendu une heure.

5. Les enquêteurs intensifi_____ leurs recherches.

6. Il suffi_____ parfois d'un peu de bonne volonté.

7. Vérifi_____ les textes qu'ils t'ont remi_____ .

8. Il est interdi_____ de fumer dans cette pièce.

9. Il perdi_____ tous les droits qu'il avait.

10. Démi_____ de ses fonctions, il compri_____ enfin qu'on ne voulait plus de lui.

11. Il est nécessaire qu'elle cri_____ à l'injustice.

12. La table poli_____ avec un chiffon lui plaisait.

13. Réagi_____ donc quand on te di_____ de t'améliorer.

14. Ils s'extasi_____ encore devant toute cette foule qui l'appui_____.

15. L'enfant grandi_____ bien et le soleil l'a bruni_____.

Le son «u»

Pour le verbe, le son «u» s'écrit habituellement...

- **U** au participe passé de certains verbes du 3e groupe au masculin singulier.
- **US** à la 1re et à la 2e personne du singulier de l'indicatif présent et du passé simple de certains verbes du 3e groupe ainsi qu'au masculin pluriel du participe passé de ces mêmes verbes.
- **UT** à la 3e personne du singulier de ces mêmes verbes à l'indicatif présent et au passé simple.
- **UE** à la 1re et à la 3e personne du singulier de l'indicatif présent et du subjonctif présent des verbes en **UER** ainsi qu'au féminin singulier du participe passé de certains verbes du 3e groupe.
- **UES** à la 2e personne du singulier de l'indicatif présent et du subjonctif présent des verbes en **UER** ainsi qu'au féminin pluriel du participe passé de certains verbes du 3e groupe.
- **UENT** à la 3e personne du pluriel de l'indicatif présent et du subjonctif présent des verbes en **UER**.

Activité 227

Écris correctement le son «u».

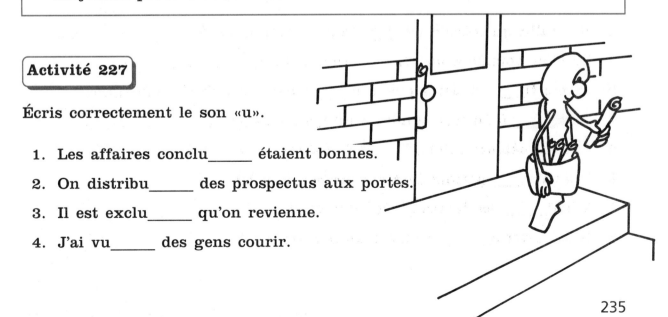

1. Les affaires conclu_____ étaient bonnes.

2. On distribu_____ des prospectus aux portes.

3. Il est exclu_____ qu'on revienne.

4. J'ai vu_____ des gens courir.

5. Ces compétitions sont très couru_____.

6. Le domaine échu_____ à un proche parent.

7. On du_____ se rabattre sur une autre proie.

8. Ces gens contribu_____ à faire exprimer le mécontentement.

9. Ils ont tout prévu_____.

10. Le verre bu_____ a été examiné.

11. Il lui attribu_____ un étrange pouvoir.

12. Les sommes du_____ devront être déposées sur la table.

13. Le maître de cérémonie lu_____ son texte à l'auditoire.

14. La silhouette apparu_____ à la porte n'était pas celle qu'il attendait.

15. Ils ont tenu_____ toutes leurs promesses.

Activité 228

Écris correctement le son «u».

1. Leur photo est paru_____ dans un journal local.

2. Toutes les causes sont connu_____.

3. Elle su_____ se taire jusqu'à la fin.

4. Ces chasseurs tu_____ sans s'occuper des conséquences.

5. L'équipe connu_____ sa meilleure saison en 1989.

6. Les objectifs prévu_____ ont été atteints.

7. On bu_____ à la santé du roi.

8. Il fu_____ un temps où cela n'aurait pas été accepté.

9. La locataire perçu_____ soudainement un bruit.

10. Elles ont entendu_____ le moteur de l'auto.

11. Le prix convenu_____ a été versé.

12. Je conclu_____ donc qu'il est trop tard pour changer d'idée.

13. Après chaque combat, on distribu_____ des médailles.

14. Ils hu_____ encore leurs joueurs.

15. Les gens vu_____ près du parc étaient des étrangers.

Le son «é»

Pour le verbe, le son «é» s'écrit habituellement...

- **É, ÉS, ÉE** et **ÉES** pour le participe passé des verbes du 1er groupe au masculin singulier, au masculin pluriel, au féminin singulier et au féminin pluriel.

- **ER** pour l'infinitif présent des verbes du 1er groupe.

- **AI** à la 1re personne du singulier du passé simple et à la 1re personne du singulier du futur simple des verbes du 1er groupe.

- **EZ** pour la 2e personne du pluriel de tous les verbes à tous les temps simples, sauf au passé simple.

Activité 229

Écris correctement le son «é».

1. Ces instruments désir_____ vous les obtiendr_____ sans difficulté.

2. Je conseill_____ à Julie de demand_____ la permission.

3. La foule assembl_____ était compos_____ d'ardents nationalistes.

4. Je songer_____ la prochaine fois à apport_____ mon repas.

5. Vous éviti_____ de la rencontr_____.

6. Vous aur_____ à mang_____ très bientôt.

7. Ces personnes sont dérang_____ par tous ces bruits que vous entend_____.

8. J'éprouv_____ une impression qui devait dur_____ un certain temps.

9. Je vous rejoindr_____ quand vous m'aur_____ expliqu_____ pourquoi je le dois.

10. L'auto vol_____ fut finalement retrouv_____.

11. Comment all_____-vous vous en tir_____?

12. Excéd_____, je coup_____ la communication.

13. Quand vous appuier_____ sur ce bouton, vous provoquer_____ un court-circuit.

14. Pour les remerci_____, il suffit de leur montr_____ de la gratitude.

15. Je ne vous quitter_____ que quand je ser_____ persuad_____ que tout va bien.

Activité 230

Écris correctement le son «é».

1. Si vous vous amus_____ à les tromp_____, vous vous fer_____ attrap_____ à votre propre jeu.

2. Cess_____ de cri_____ ainsi.

3. Je l'importun_____ assez pour qu'il soit dégoût_____.

4. Sign_____ ce document et part_____.

5. Les meubles repouss_____, le centre de la pièce fut occup_____ par le nouveau piano.

6. Je m'occup_____ de trouv_____ des remplaçants.

7. Toutes les personnes désign_____ par le notaire avaient accept_____.

8. Il ne suffit pas de prêt_____ serment, vous dev_____ ensuite le respect_____.

9. Comment accéd_____ à ce siège trop élev_____?

10. Je prouver_____ à mes enfants que la franchise peut rapport_____.

11. Un matin, j'examin_____ les pistes laiss_____ durant la nuit par une bête dans le sentier.

12. Pour jou_____ dans cette ligue, il faut prouv_____ sa détermination.

13. La peur éprouv_____ la veille était déjà oubli_____.

14. Port_____ cet anorak et ces gants sinon vous all_____ gel_____.

15. Je me rendr_____ à la convocation dépos_____ sur mon bureau.

Le son «on»

CONNAISSANCES
• • • • • • • • • • •

Pour le verbe, le son «on» s'écrit habituellement...

• ONS à la 1re personne du pluriel de tous les verbes à tous les temps des modes personnels, sauf au passé simple.

• ONT à la 3e personne du pluriel du futur simple de tous les verbes.

Écris correctement le son «on».

1. Nous encaiss_____ nos chèques.

2. Ils f_____ tout ce qu'ils peuvent.

3. Ils protester_____ contre cet abus.

4. Jamais elles ne voudr_____ payer une telle taxe.

5. Pourquoi retard_____-nous cet achat?

6. Il faut que nous lui disi_____ la vérité.

7. Mon père et moi form_____ une véritable paire d'amis.

8. Certains se blesser_____ dans cette escalade.

9. Nous désir_____ savoir ce qu'ils fer_____.

10. Nous adopter_____ une autre règle de conduite.

11. Ils s_____ bien trop tendus.

12. Elles finir_____ d'abord leur collation.

13. Les maires accepter_____ ces changements.

14. Nous fais_____ une randonnée inoubliable.

15. Change_____ la plaque sur l'édifice.

Écris correctement le son «on».

1. Chez nous, nous assur_____ les conducteurs maladroits.

2. Ils utiliser_____ leur bicyclette.

3. Nous nous douti_____ qu'il y avait un danger.

4. Les portes ser_____ fermées à 11 heures.

5. Nous n'étal_____ pas nos problèmes devant les étrangers.

6. Pourquoi poseri_____-nous un tel geste?

7. Les braconniers devr_____ se méfier du nouveau garde-chasse.

8. Comme nous espéri_____ les attirer dans notre groupe, nous leur fai-
si_____ bonne figure.

9. Il est évident qu'ils perdr_____ tout ce qu'ils v_____ investir.

10. Comment pourri_____-nous leur faire confiance?

11. Nous réagiss_____ parfois durement.

12. Elles contribuer_____ si nous le leur demand_____.

13. Ils pourr_____ prouver aux jeunes qu'ils f_____ un bon travail.

14. Quand ils voyager_____, ils nous avertir_____.

15. Ils nous encourager_____ sûrement à poursuivre.

Le son «ou»

CONNAISSANCES
• • • • • • • • • • •

Pour le verbe, le son «ou» s'écrit habituellement...

- **OUE** à la 1re et à la 3e personne du singulier de l'indicatif présent et du subjonctif présent des verbes finissant par **OUER**.

- **OUES** à la 2e personne du singulier de l'indicatif présent et du subjonctif présent des verbes finissant par **OUER**.

- **OUD** à la 3e personne du singulier de l'indicatif présent des verbes finissant par **OUDRE**.

- **OUDS** à la 1re et à la 2e personne du singulier de l'indicatif présent des verbes finissant par **OUDRE**.

- **OUS** à la 1re et à la 2e personne du singulier de l'indicatif présent du verbe **BOUILLIR**.

- **OUT** à la 3e personne du singulier de l'indicatif présent du verbe **BOUILLIR**.

- **OUENT** à la 3e personne du pluriel de l'indicatif présent et du subjonctif présent des verbes finissant par **OUER**.

Activité 233

Écris correctement le son «ou».

1. Ils baf_____ toutes les règles.

2. Tu all_____ un montant dérisoire.

3. Marie-Anne c_____ très bien.

4. Bun av_____ sa culpabilité.

5. La soupe b_____ déjà sur la cuisinière.

6. Le remorqueur t_____ l'embarcation.

7. On dén_____ les cordons de notre bourse.

8. Pour la seconde fois, ces inconnus le r_____ de coups.

9. Notre groupe est maintenant diss_____.

10. Tu l_____ encore cette vieille maison.

11. Les élèves tr_____ les feuilles.

12. Tu rés_____ le problème.

13. Je cl_____ des longues planches.

14. Ces dames se dév_____ pour notre œuvre.

15. Il désav_____ ce qui a été fait en son nom.

Le son «an»

CONNAISSANCES

Pour le verbe, le son «an» s'écrit habituellement...

- ANT au participe présent de tous les verbes.

- ENS à la 1re et à la 2e personne du singulier de l'indicatif présent de certains verbes du 3e groupe finissant par IR.

- ENT à la 3e personne du singulier de l'indicatif présent de certains verbes du 3e groupe finissant par IR.

- END à la 3e personne du singulier de l'indicatif présent des verbes finissant par ENDRE.

- ENDS à la 1re et à la 2e personne du singulier de l'indicatif présent des verbes finissant par ENDRE.

Activité 234

Écris correctement le son «an».

1. Je vous t_____ les bras.

2. Elle m'att_____ près de la fontaine.

3. C'est en boit_____ qu'il peut rejoindre sa maison.

4. Elle s_____ une drôle d'odeur.

5. Ress_____-tu la même impression que moi?

6. Elle lui r_____ enfin hommage après toutes ces années.

7. Desc_____-tu bientôt?

8. On termina la réunion en chant_____.

9. On prét_____ qu'il y a eu fraude.

10. Confi_____, le garçon lui t_____ sa monnaie.

11. Tu m_____ comme tu respires.

12. Je me r_____ en France ce printemps.

13. Tu y parviendras en tir_____ ce meuble.

14. Elle pr_____ beaucoup trop de temps à s'habiller.

15. On v_____ ces cibles trop cher.

Le son «è»

Pour le verbe, le son «è» s'écrit habituellement...

- AIS à la 1re et à la 2e personne du singulier de tous les verbes à l'imparfait et au conditionnel présent ainsi qu'aux mêmes personnes de l'indicatif présent des verbes finissant en AÎTRE et en AIRE.

- AIT à la 3e personne du singulier de l'imparfait et du conditionnel présent de tous les verbes ainsi qu'à la même personne de l'indicatif présent des verbes finissant en AÎTRE et en AIRE. Le participe passé des verbes en AIRE se termine aussi par AIT au masculin singulier.

- AIENT à la 3e personne du pluriel de l'imparfait et du conditionnel présent de tous les verbes ainsi qu'à la 3e personne du pluriel de l'indicatif présent des verbes en AYER.

- AIE à la 1re et à la 3e personne du singulier de l'indicatif présent des verbes en AYER.

- AIES à la 2e personne du singulier de l'indicatif présent des verbes en AYER.

- AITS au masculin pluriel du participe passé des verbes finissant par AIRE.

- AÎT à la 3e personne du singulier de l'indicatif présent des verbes finissant par AÎTRE.

Activité 235

Écris correctement le son «è».

1. Il par_____ qu'il y a eu un tremblement de terre.
2. Tu f_____ trop de gestes inutiles.
3. Je parl_____ hier avec la responsable des activités.
4. Tu dispar_____ trop facilement quand il y a du travail à faire.
5. Je conn_____ le chemin.
6. On dit partout que les Corses connaîtr_____ la vérité sur cette disparition.
7. Je voul_____ parfois aller les voir.
8. C'ét_____ enfin l'été et ses jeux.
9. F_____ donc ce qu'elle souhaite.
10. Les coffres f_____ par cet artisan sont magnifiques.
11. On soign_____ nos blessures sans poser de questions.
12. Tu s_____ très bien ce qui s'est passé.
13. Elle trait_____ Éva comme une ennemie.
14. Il a ref_____ toute la toiture.
15. Elles bal_____ le devant de leur porte.

Activité 236

Écris correctement le son «è».

1. Ils exig_____ de leurs membres le secret le plus absolu.
2. Elle affront_____ les pires conditions.
3. On sav_____ que tu finir_____ par sortir.
4. Tu ment_____ parfois pour te couvrir.
5. Elle ess_____ encore de réussir.
6. Il les combl_____ de toutes sortes de cadeaux.
7. Cet homme appar_____ aux endroits où on l'attend le moins.

8. Elle a dit qu'elle fer_____ son possible.

9. Les ouvriers ess_____ toujours de colmater la brèche.

10. Elle se mettr_____ en colère pour prouver qu'elle pren_____ cela à cœur.

11. Le juge reconn_____ que son huissier a f_____ une faute.

12. On nous conseill_____ de fuir.

13. Ces camions approvisionn_____ les grands magasins.

14. Elles tirer_____ plus de bénéfices si elles le voul_____.

15. Encore une fois, les jurés se retirer_____ sans s'être mis d'accord.

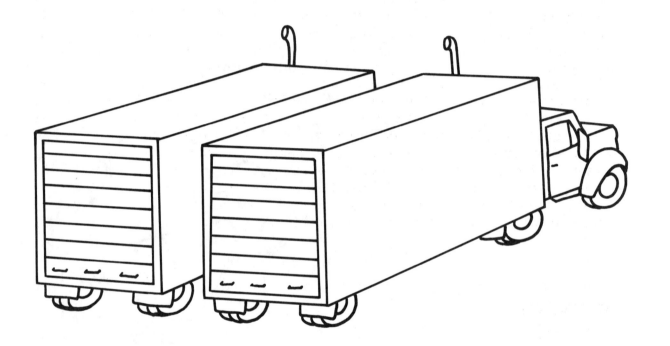

Chapitre huitième

Mini-tests

Mini-tests

Dans ce 8e chapitre, nous offrons à l'écolier et à l'écolière la possibilité d'évaluer finalement ses connaissances sur les différents aspects du verbe au programme du second cycle du cours primaire. Nous présentons une vingtaine de petits tests et chacun porte sur une notion particulière. Ils couvrent l'ensemble du programme.

Comme chaque mini-test exige de l'écolier et de l'écolière vingt réponses, l'interprétation des résultats obtenus sera facile. Ainsi, l'enseignant(e) pourra considérer 16 bonnes réponses et plus comme l'indice d'une très bonne maîtrise de la notion, 14 et 15 réponses exactes comme un signe d'une bonne maîtrise et 12 et 13 bonnes réponses comme un indice de maîtrise acceptable. Il va de soi qu'un résultat inférieur à 12 réponses exactes ne peut que signifier que l'apprentissage ne s'est pas réalisé et que la difficulté n'a pas été surmontée. Dans un tel cas, la possibilité de faire recommencer certains exercices proposés dans ce cahier ou d'en proposer de nouveaux doit être sérieusement envisagée.

Mini-test 1

➤ *Le radical et la terminaison*

A) Souligne la terminaison de chacun des verbes.

1. Il prenait
2. Elle terminera
3. Nous aimions
4. Vous apprenez
5. Ils jettent

6. Ils mangèrent
7. Je conseillais
8. Tu finis
9. Il recevrait
10. Présentant

B) Souligne le radical de chacun des verbes.

1. Terminé
2. Tu parles
3. Nous identifions
4. Perdu
5. Je frapperai

6. Tu glaçais
7. Qu'elles repoussent
8. Vous passeriez
9. Récolte
10. Elle gémit

Mini-test 2

➤ *Les groupes des verbes*

Identifie le groupe de chacun des verbes.

1. Elle fuira _____
2. Tu déciderais _____
3. Allez _____
4. Fondu _____
5. Elle réagit _____
6. Qu'elle sente _____
7. Tu prendras _____
8. Elle vérifia _____
9. Apprendre _____
10. Supportant _____

11. Nous avions vu _____
12. Elles auraient surpris _____
13. Ils connurent _____
14. Disparais _____
15. Il fit _____
16. Je suis née _____
17. Vous êtes morts _____
18. Vous vivrez _____
19. Ils accueillent _____
20. Je songeai _____

Mini-test 3

➤ *Les modes du verbe*

Identifie le mode de chacun des verbes.

1. Elle trouverait _____ probablement des gens qui l'avaient vu _____ la veille en train de creuser _____ près du rivage.

2. Libéré _____ par l'ennemi, il lui faudra _____ encore rejoindre _____ le secteur que sa compagnie occupe _____.

3. Les deux enfants avaient cherché _____ dans la penderie.

4. C'est en essayant _____ sa nouvelle bicyclette qu'elle a rencontré _____ son oncle qui venait _____ la voir _____.

5. Il faut _____ que tu apprennes _____ le morse.

6. Lis _____ ce texte écrit _____ par un enfant malade et tu comprendras _____ qu'il existe _____ _____ des misères plus pénibles que les tiennes.

7. Martine pensa _____ à une fête qui plairait _____ à ses parents.

➤ *Les temps des verbes*

A) Écris les verbes à l'indicatif présent.

1. Je _____ (refuser) et j'_____ (attendre) une nouvelle offre.

2. Nous _____ (faire) la paix.

3. Il _____ (sentir) que quelque chose ne _____ (aller) pas.

B) Écris à l'indicatif imparfait.

1. Vous _____ (finir) votre promenade.

2. Elles _____ (essayer) de vous persuader.

C) Écris au futur simple.

1. Je _____ (prêter) mes albums.

2. Mes amis _____ (avoir) la chance de visiter ce musée.

D) Écris au passé simple.

1. Je _____ (parler) à mon professeur.

2. Ils _____ (signer) leur travail.

3. Nous _____ (porter) ces sacs à l'intérieur.

E) Écris au subjonctif présent.

1. On exige que nous nous _____ (rendre) au secrétariat.

2. Il faut absolument que tu _____ (venir) chez moi.

3. On souhaite qu'elles _____ (réagir) rapidement.

F) Écris au conditionnel présent.

1. Tu _____ (mourir) dans un tel désert.

2. Les élèves _____ (occuper) toute la cour.

G) Écris au participe passé.

1. _____ (obliger) de payer, Étienne n'était pas content.

2. Les autos _____ (vendre) étaient luxueuses.

H) Écris au participe présent.

1. C'est en _____ (se lever) qu'elle en a eu l'idée.

| Mini-test 5 |

➤ *Les temps des verbes*

Identifie le mode et le temps de chacun des verbes.

	Mode	**Temps**
1. J'offrirais	_____	_____
2. Tu as compté	_____	_____
3. J'espérai	_____	_____
4. Elle avait mis	_____	_____
5. Nous prenions	_____	_____
6. Vous auriez souri	_____	_____
7. Finissez	_____	_____
8. Qu'elle entende	_____	_____

	Mode	Temps
9. Ils profiteront	_____	_____
10. Elles suggérèrent	_____	_____
11. Courant	_____	_____
12. Prévu	_____	_____
13. Avoir saisi	_____	_____
14. Remettre	_____	_____
15. Tu eus aimé	_____	_____
16. Il aura lavé	_____	_____
17. Ils veulent	_____	_____
18. Que je puisse	_____	_____
19. Ayant porté	_____	_____
20. Retiens	_____	_____

Mini-test 6

➤ *Les personnes*

A) Écris à la 1ʳᵉ personne du singulier, au même temps, chacun de ces verbes.

1. Ils peuvent _____

2. Ils font _____

3. Nous agitâmes_____

4. Vous existiez _____

5. Tu voudras _____

6. Elle aperçoit _____

7. Nous avons prétendu _____

8. Vous auriez pris_____

9. Qu'ils fassent _____

10. Ils saisiraient_____

B) Écris à la 1ʳᵉ personne du pluriel, au même temps, chacun de ces verbes.

1. Tu tiens _____

2. Elle voit _____

3. Vous croisez _____

4. Je plaisantai _____

5. Tu finissais _____

6. Ils agirent _____

7. Qu'ils soient _____

8. Tu irais _____

9. Il comprendra _____

10. Vous croiriez _____

Mini-test 7

➤ *Les personnes*

A) Écris à la 2ᵉ personne du singulier, au même temps, chacun de ces verbes.

1. Je contiens _____

2. Elle découvrait _____

3. Ils remettraient _____

4. Que je serve _____

5. Vous finîtes _____

6. Nous souffrons _____

7. Vous tentiez _____

8. J'écrirai _____

9. Qu'ils essaient _____

10. Il montra _____

B) Écris à la 2ᵉ personne du pluriel, au même temps, chacun de ces verbes.

1. Tu couvris _____

2. Elle offrira _____

3. J'obéirais _____

4. Elle exaltait _____

5. Qu'elle se venge _____

6. Je songeai _____

7. Ils masseront _____

8. Nous fournissions _____

9. Ils se plaignaient _____

10. Je comprenais _____

Mini-test 8

➤ *Les personnes*

A) Écris à la 3ᵉ personne du singulier, au même temps, chacun de ces verbes.

1. Je saisis _____

2. Nous recevions _____

3. Je peux _____

4. Ils savent _____

5. Que je fasse _____

6. Tu prendras _____

7. Elles entretenaient _____

8. Tu connais _____

9. Nous lûmes _____

10. Tu nies _____

B) Écris à la 3ᵉ personne du pluriel, au même temps, chacun de ces verbes.

1. Il tue _____

2. Nous rejetons _____

3. J'examinai _____

4. Elle proposait _____

5. Que tu connaisses _____

6. Tu loues _____

7. Vous confiez _____

8. Tu agiras _____

9. Je supposerais _____

10. Je fais _____

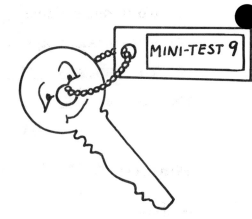

Mini-test 9

➤ *Avoir*

A) Écris le verbe **avoir** au temps demandé.

1. Il faut qu'on _____ (subj. présent) le temps de tout ramasser.

2. Tu _____ (cond. présent) une nouvelle sensation.

3. Demain, j'_____ (futur simple) ma note.

4. Si on _____ (ind. imparfait) un bon marteau, le travail avancerait plus vite.

5. _____ (imp. présent, 2ᵉ pers. du sing.) sur toi une carte d'identité.

6. Ils _____ (ind. présent) encore une fois raison.

7. Vous _____ (ind. imparfait) tort de vous inquiéter.

8. Elles _____ (passé simple) tout ce qu'elles voulaient.

9. Ils _____ (ind. plus-que-parfait) un avertissement.

10. Tu _____ (futur antérieur) toutes les chances de te calmer.

B) Écris le verbe **avoir** à la même personne et au même temps que chacun de ces verbes.

1. Que je plante _____

2. Elle aima _____

3. Vous avez pris _____

4. Je saurai _____

5. Elle aurait reconnu _____

6. Tu raterais _____

7. Nous observâmes _____

8. Elles avaient aperçu _____

9. Tu avoues _____

10. Regarde _____

➤ *Être*

A) Écris le verbe **être** au temps demandé.

1. _____ (inf. passé) là, je l'aurais défendue.

2. _____ (inf. présent) le premier ne lui suffisait plus.

3. Je _____ (futur simple) dans le salon.

4. Tu _____ (cond. présent) heureuse d'être à sa place.

5. Elle _____ (passé simple) intimidée par cette colère.

6. Nous _____ (passé composé) surpris de vous revoir si tôt.

7. Vous _____ (ind. plus-que-parfait) les derniers avertis.

8. Il est nécessaire que tout _____ (subj. présent) prêt.

9. _____ (imp. présent, 2ᵉ pers. du sing.) attentif quand je te parle.

10. C'est en _____ (part. présent) sévère qu'il fait régner l'ordre.

B) Écris le verbe **être** à la même personne et au même temps que chacun de ces verbes.

1. Qu'il finisse _____

2. Tu visiterais _____

3. Il a revu _____

4. Ils auront compris _____

5. J'aurais comblé _____

6. Nous éliminons _____

7. Je pensai _____

8. Elles avaient su _____

9. Tu écrivis _____

10. Ils vendirent _____

Mini-test 11

➤ *Aller*

A) Écris le verbe **aller** au temps demandé.

1. J'_____ (cond. présent) en Suisse si je le pouvais.

2. Tu _____ (futur simple) le voir.

3. Elle _____ (passé simple) dans la cuisine.

4. Nous _____ (ind. présent) nous entendre.

5. Vous _____ (ind. plus-que-parfait) ensemble à ce concert.

6. Ils _____ (passé simple) constater les dégâts.

7. Il veut que j'_____ (subj. présent) rencontrer des clients.

8. _____ (imp. présent, 2ᵉ pers. du sing.) jouer dehors.

9. En _____ (part. présent) à l'école, il trouva un porte-monnaie.

10. Les personnes qui _____ (passé composé) à Toronto ont aimé la ville.

B) Écris le verbe **aller** à la même personne et au même temps que chacun de ces verbes.

1. Tu engendrais _____

2. Qu'elle vienne _____

3. Tu avais souffert _____

4. Tu permets _____

5. Nous avions répandu _____

6. Je partirai _____

7. Nous avons retenu _____

8. Je songe _____

9. Elle étend _____

10. Vous condamneriez _____

254

Mini-test 12

➤ *Faire*

A) Écris le verbe **faire** au temps demandé.

1. Je _____ (passé simple) de mon mieux.

2. Tu _____ (passé composé) des efforts.

3. Elle _____ (ind. imparfait) un très bon souper.

4. Nous _____ (ind. présent) ce qui est demandé.

5. Vous _____ (ind. présent) des contestations inutiles.

6. Ils _____ (futur simple) le tour de la propriété.

7. Je _____ (cond. présent) une meilleure impression qu'elle.

8. Tu _____ (ind. plus-que-parfait) trois erreurs.

9. _____ (imp. présent, 2ᵉ pers. du sing.) ce que tu dois faire.

10. Les inspections _____ (part. passé) ne valaient rien.

B) Écris le verbe **faire** à la même personne et au même temps que chacun de ces verbes.

1. Je lis _____

2. Elle vendit _____

3. Vous sentirez _____

4. Qu'ils immobilisent _____

5. Tu aurais vu _____

6. Tu plaignais _____

7. Nous avions prévu _____

8. Ils comprendraient _____

9. J'ai nettoyé _____

10. Elle achètera _____

➤ *Envoyer et haïr*

A) Écris le verbe **envoyer** au temps demandé.

1. J'_____ (futur simple) un message.

2. Tu _____ (cond. présent) tes articles au journal.

3. Elle _____ (ind. présent) promener tous ceux qui l'approchent.

4. Nous _____ (passé composé) des émissaires.

5. Il faut qu'ils l'_____ (subj. présent) par courrier prioritaire.

B) Écris le verbe **haïr** au temps demandé.

1. Je _____ (ind. présent) le mensonge.

2. Tu _____ (ind. présent) de telles directives.

3. Elles _____ (ind. présent) un tel comportement.

4. Nous _____ (futur simple) tout ce qui nous dérangera.

5. Je _____ (passé simple) ce stage.

C) Écris le verbe **envoyer** à la même personne et au même temps que chacun de ces verbes.

1. J'ai remis _____

2. Elle remet _____

3. Que vous receviez _____

4. Tu posteras _____

5. Nous couvririons _____

D) Écris le verbe **haïr** à la même personne et au même temps que chacun de ces verbes.

1. Je trouvais _____

2. Il comprit _____

3. Vous traqueriez _____

4. Tu finirais _____

5. Nous servirons _____

➤ *Devoir*

A) Écris le verbe **devoir** au temps demandé.

1. Ce jour-là, je _____ (passé simple) me charger des enfants.

2. Tu _____ (futur simple) t'occuper du souper.

3. Qu'elle _____ (subj. présent) apparaître à cette soirée ne fait aucun doute.

4. Si nous comprenons bien, il _____ (cond. présent) se passer quelque chose.

5. Nous _____ (ind. présent) nous préparer au pire.

6. Vous _____ (passé composé) remarquer cet incident.

7. Ils _____ (ind. plus-que-parfait) contourner ce bouchon de la circulation.

8. La somme _____ (part. passé) vous sera remise.

9. _____ (inf. présent) lui rendre hommage me fait plaisir.

10. J'_____ (cond. passé) vous prévenir de mon arrivée.

B) Écris le verbe **devoir** à la même personne et au même temps que chacun de ces verbes.

1. J'ai noté _____

2. Tu aurais pensé _____

3. Qu'elle travaille_____

4. Vous exercerez _____

5. Nous coupâmes_____

6. Vous protestiez _____

7. Elles projetteraient _____

8. J'eus fini _____

9. Tu auras précisé _____

10. Il tint_____

➤ *Pouvoir et voir*

A) Écris le verbe **pouvoir** au temps demandé.

1. Je _____ (futur simple) alors creuser ce fossé.

2. Tu _____ (cond. présent) accorder un peu plus de soin à tes plantes.

3. Il _____ (ind. présent) faire beaucoup mieux.

4. Il faut que nous _____ (subj. présent) sortir de cette pièce.

5. Vous _____ (passé simple) nous conseiller.

B) Écris le verbe **voir** au temps demandé.

1. Ils _____ (futur simple) alors creuser ce fossé.

2. Je te _____ (cond. présent) accorder un peu plus de soin à tes plantes.

3. Nous _____ (ind. présent) faire beaucoup mieux.

4. Vous l'_____ (passé composé) sortir de cette pièce.

5. Vous le _____ (passé simple) nous conseiller.

C) Écris le verbe **pouvoir** à la même personne et au même temps que chacun de ces verbes.

1. Je sentis _____

2. Elle a souri _____

3. Que vous reteniez _____

4. Je prends _____

5. J'apercevais _____

D) Écris le verbe **voir** à la même personne et au même temps que chacun de ces verbes.

1. Qu'ils ternissent _____

2. Je surprendrai _____

3. Vous aviez omis _____

4. Jetez _____

5. Tu mourras _____

➤ *L'accord du verbe selon la personne du sujet*

Accorde correctement le verbe.

1. Je _____ (jouer, ind. présent) parfois avec des camarades qui ne _____ (respecter, ind. présent) pas les règles du jeu.

2. Tu _____ (aimer, futur simple) sûrement cette ambiance.

3. Il les _____ (vendre, ind. présent) beaucoup trop cher.

4. Nous vous _____ (remercier, ind. présent) pour l'aide que vous nous _____ (apporter, passé composé).

5. Les jours de vacances _____ (s'écouler, ind. imparfait) heureux et tranquilles.

6. Yvonne et Lucia _____ (former, passé simple) une paire d'amies inséparables.

7. C'est moi qui _____ (mener, cond. présent) la danse.

8. C'est toi qui _____ (faire, passé composé) tout ce bruit.

9. C'est lui qui _____ (revenir, ind. présent) d'un long séjour en Corée.

10. Ils nous les _____ (montrer, passé simple) en arrivant.

11. Je ne les _____ (croire, ind. présent) plus du tout.

12. Les gardes nous _____ (apercevoir, passé simple) dès notre entrée.

13. Pierre _____ (demander, passé composé) à ceux qui _____ (vouloir, ind. imparfait) participer de venir le voir.

14. L'or et l'argent _____ (être, futur simple) les métaux précieux que nous _____ (rechercher, futur simple).

15. Il _____ (avoir, cond. présent) plus de chance de réussir s'il les _____ (emmener, ind. imparfait) avec lui.

➤ *L'accord du sujet avec* on *et avec* qui

Accorde correctement le verbe.

1. On _____ (apprécier, ind. présent) vraiment tout ce qui _____ (être, ind. présent) fait pour faciliter notre tâche.

2. _____ (penser, ind. présent)-t-on parfois à tous ceux qui _____ (manquer, ind. présent) du nécessaire?

3. Il faudrait qu'on _____ (retourner, subj. présent) voir celle qui nous _____ (donner, passé composé) les premières indications.

4. On _____ (dire, ind. présent) que c'est toi qui _____ (menacer, ind. présent) notre sécurité.

5. Tout ce qui nous _____ (tomber, ind. imparfait) sous la main, on le _____ (manger, ind. imparfait).

6. On _____ (encourager, futur simple) ceux qui _____ (désirer, futur simple) fréquenter l'université.

7. On _____ (sembler, ind. présent) croire que je suis celui qui _____ (faire, cond. présent) un bon président.

8. Dans le quartier, on _____ (admirer, ind. imparfait) ma mère, et toutes les voisines qui _____ (chercher, ind. imparfait) à l'imiter la _____ (fréquenter, ind. imparfait).

9. Il existe tout de même des limites qui ne _____ (pouvoir, ind. présent) être dépassées.

10. _____ (remettre, ind. présent)-on encore au lendemain ce qui _____ (devoir, ind. présent) être fait aujourd'hui?

➤ *L'accord du sujet dissimulé par un écran*

Accorde correctement le verbe.

1. La chute des prix des immeubles en _____ (surprendre, ind. présent) plusieurs.

2. Mme Laramée, une psychologue très connue, _____ (donner, futur simple) une conférence.

3. Les attaques répétées des chefs du syndicat _____ (laisser, passé composé) des traces.

4. Tous les bruits qui ont couru à ce sujet _____ (être, ind. présent) sans fondement.

5. M. Pasquier, le notaire, et Mme Lacroix, la pharmacienne, _____ (fonder, passé composé) un mouvement.

6. Les Matafs, un roman de Lebuis, _____ (être, ind. présent) lu par des milliers de gens qui _____ (aimer, ind. présent) le style de cet auteur.

7. Le BEL, un mouvement pour le développement culturel des jeunes, _____ (offrir, futur simple) des cours de perfectionnement en secourisme.

8. Les dernières étapes de ce très long voyage _____ (être, passé simple) Bombay et Sydney.

9. Les propriétaires des animaux _____ (avoir, ind. présent) jusqu'à demain. À compter du dix novembre, les animaux qui n'auront pas été vaccinés _____ (pouvoir, futur simple) être conduits à la fourrière.

10. Les règlements concernant la circulation _____ (être, passé composé) amendés.

11. Toutes les écolières qui en feront la demande _____ (recevoir, futur simple) un dépliant.

12. La campagne de prévention de l'incendie _____ (battre, ind. présent) son plein. Les responsables de cette campagne annuelle _____ (viser, ind. présent) surtout à sensibiliser les fumeurs des dangers de fumer au lit.

13. Le grand poète québécois, Félix Leclerc, _____ (vivre, ind. imparfait) à l'île d'Orléans.

14. Les enseignantes qui préparent ce spectacle ne _____ (comprendre, ind. présent) pas que les parents de certains de leurs élèves _____ (refuser, ind. présent) d'assister à la manifestation.

15. L'ensemble de nos activités sportives _____ (être, ind. présent) remarquable et nous, les directeurs des organismes concernés, en _____ (être, ind. présent) très fiers.

➤ *La distinction entre é et* er

Écris **é** ou **er**.

1. Ce matin, je me suis lev_____ de bonne heure pour particip_____ à un tournoi de soccer qui sera présent_____ à Laval.

2. Mélanie a déjà annonc_____ son intention de continu_____ à camp_____ dans cette région parce que son père lui en a donn_____ la permission.

3. Le bataillon command_____ par le capitaine Smith a march_____ toute la nuit pour occup_____ à l'aube cet endroit indiqu_____ sur la carte.

4. Je me plais à médit_____ avant de compos_____ un texte.

5. Que pens_____ de tout ce vacarme provoqu_____ par une si petite erreur?

6. On peut encore espér_____ rentr_____ avant que le soleil ne soit cou-ch_____.

7. Pour y arriv_____, il faut beaucoup travaill_____.

Mini-test 20

➤ *Le participe passé employé seul*

Accorde les participes passés.

1. Tous les tests passé_____ prouvent que les dossiers ouvert_____ par ce spécialiste sont incorrects.

2. Mes devoirs fini_____, je pouvais enfin aller jouer.

3. Ces bandes dessiné_____ lu_____ à la bibliothèque sont formidables.

4. Joint_____ au téléphone, Mme Nguyen a accepté la présidence de ce mouvement.

5. Les policiers, averti_____ par un appel anonyme, surveillent les vieilles personnes qui vivent isolé_____ dans des endroits retiré_____.

6. Les trésors découvert_____ au fond de la mer proviennent de l'Orcha.

7. Admis_____ au temple de la Renommée, Maurice Richard est une légende.

8. Les vêtements cousu_____ par Paul et son épouse sont originaux. Ils sont deux artistes qui méritent les éloges formulé_____ à leur endroit.

9. Les exclamations ravi_____ des enfants sont sa plus belle récompense.

10. Les cadeaux offert_____ lors de cette fête donné_____ en son honneur étaient très coûteux. Toujours généreuse, Anne Dupré s'est empressée de les remettre à un organisme fondé_____ pour venir en aide aux personnes démuni_____.

11. Recouvert_____ d'une grosse toile, les vieux meubles fraîchement verni_____ ne risquent plus rien.

Mini-test 21

➤ *Le participe passé employé avec* être, sembler, rester...

1. On est invité_____ à dîner chez des gens qui sont réputé_____ pour leur hospitalité.

2. En cette occasion, des vieilles bouteilles de vin sont ouvert_____ et offert_____ aux dames qui se sont présenté_____ à la dégustation.

3. L'évaluation est maintenant fini_____ mais le prix des travaux reste élevé_____ si on considère tout ce qui est prévu_____.

4. Les auvents qui ont été placé_____ au-dessus des fenêtres sont déco-loré_____ par le soleil et les intempéries.

5. Vos cigarettes doivent être laissé_____ à l'entrée et il ne vous est pas permis_____ de fumer à l'intérieur. Vous n'avez qu'à lire, les règlements sont écrit_____.

6. Ma tante semblait ravi_____ par les décorations de Noël qui avaient été posé_____.

7. Ces urnes restent promis_____ à nos deux meilleurs clients qui sont venu_____ nous voir.

8. Toutes les toiles qui sont accroché_____ à ce mur furent peint_____ par une jeune fille qui est atteint_____ d'une maladie incurable.

Mini-test 22

➤ *Les sons «é» et «è»*

A) Écris correctement le son «é».

1. Au premier coup d'œil jet_____ sur ce chalet, je détest_____ l'endroit et vous le sav_____.

2. Quand prendr_____-vous la peine d'écout_____ les plaintes formul_____ par vos proches?

3. Je ne vous dir_____ jamais assez toutes les souffrances endur_____.

4. Les coupables désign_____ seront emprisonn_____.

B) Écris correctement le son «è».

1. Ce qui effr_____ le plus Maria, ce sont les araignées.

2. Le maire conn_____ très bien le responsable et il s_____ ce qui se passe dans son bureau.

3. Chaque jour, ils lav_____ les planchers; ce que ne fer_____ sûrement pas leurs remplaçants.

4. Elle bal_____ avec énergie le salon pendant que l'on f_____ le ménage de la cuisine.

5. Le huissier se t_____ mais il ess_____ pourtant de faire comprendre quelque chose à la personne en colère qui lui f_____ face.

Mini-test 23

➤ *Les sons «ou» et «on»*

A) Écris correctement le son «ou».

1. Les suspects av_____ enfin.

2. Tu rés_____ mon problème.

3. Il faut que le remorqueur t_____ mon embarcation.

4. L'huile b_____ sur le feu.

5. Elle c_____ vraiment très bien, av_____-le.

6. Si tu cl_____ correctement cette planche, je t'all_____ un nouveau marteau.

7. N_____ ton lacet.

8. Je me dév_____ pour vous venir en aide.

B) Écris correctement le son «on».

1. Nous souffr_____ de malnutrition.

2. Les bagagistes porter_____ nos valises et nous les paier_____.

264

3. Tout ce qu'ils f_____, c'est se plaindre.

4. Si nous leur donn_____ un ordre, ils se rebiffer_____.

5. Nous profiteri_____ de l'occasion pour voir si nous pourr_____ aller plus loin.

6. Elles ne voudr_____ jamais reconnaître que nous fais_____ bien notre travail.

Mini-test 24

➤ *Les sons «i» et «u»*

A) Écris correctement le son «**i**».

1. Réjou_____ par la nouvelle, Karine part_____ immédiatement l'annoncer à ses amies.

2. Tu transcr_____ tout le texte qu'il a écr_____.

3. Je me méf_____ des gens qui se disent avert_____.

4. Des ententes secrètes l_____ les deux groupes de financiers.

5. D_____-moi si tu te f_____ encore à ces gens.

6. Elle sent_____ un vent de panique la balayer.

B) Écris correctement le son «**u**».

1. Le pilote aperç_____ soudainement le récif et, le doigt tend_____, le montra aux passagers.

2. On distrib_____ à la population ce qui lui est d_____.

3. Comme prév_____, la compétition ten_____ dans cette ville f_____ un succès.

4. Tu appar_____ au moment où on s'y attendait le moins.

5. Elle s_____ faire face à la menace.

6. Vos dons contrib_____ à soulager la misère.

➤ *Le son* «an»

Écris correctement le son «an».

1. J'att_____ encore un signe indiqu_____ que vous avez compris.

2. Cette personne s_____ très bien quand les choses risquent de mal tourner.

3. Tu te déf_____ assez mal quand tu m_____.

4. T_____ l'oreille et ent_____ le murmure du ruisseau.

5. C'est en se rend_____ chez l'antiquaire qu'il a tout vu.

6. Je susp_____ au-dessus du foyer une cloche.

7. En t'agit_____ ainsi, tu r_____ ma tâche plus pénible.

8. Je ress_____ une douleur au dos.

9. Elle pr_____ trop de place et elle s'en r_____ compte.

10. J'en v_____ de semblables aux touristes.

11. L'attir_____ dans un coin, elle lui t_____ une coupe.

12. Je repr_____ la route après une halte.

13. En attend_____, r_____-toi utile.

Bibliographie

Grevisse, Maurice, *Le Bon Usage*, Éditions J. Duculot, S. A., Gembloux, 1975.

Laurence, Jean-Marie, *Les Verbes en un clin d'œil*, Guérin éditeur, Montréal, 1981.

Achevé d'imprimer
en l'an mil neuf cent quatre-vingt-douze
sur les presses des ateliers Guérin,
Montréal (Québec)